LABORATORY AND EXERCISE MANUAL

CIAO!

CARLA FEDERICI
San José State University

CARLA LARESE RIGA
Stanford University

perche why

HOLT, RINEHART and WINSTON

New York • Chicago • San Francisco • Philadelphia
Montreal • Toronto • London • Sydney • Tokyo
Mexico City • Rio de Janeiro • Madrid

ISBN 0-03-069334-9

Copyright © 1986 by CBS College Publishing

Address correspondence to:
383 Madison Avenue
New York, N.Y. 10017

6 7 8 9 018 9 8 7 6 5 4 3 2 1

CBS COLLEGE PUBLISHING
Holt, Rinehart and Winston
The Dryden Press
Saunders College Publishing

PREFACE

The *Laboratory and exercise manual* that accompanies *Ciao!* provides students with supporting activities and the opportunity to practice Italian outside the classroom. It follows, chapter by chapter, the contents of *Ciao!* and presents the textbook material for a systematic review of its grammatical structures and vocabulary.

Each chapter of the manual is divided into two parts: a laboratory section (*Laboratorio*) as a guide to the taped program and a section of written exercises (*Esercizi Supplementari*). Except for the preliminary chapter, each chapter consists of (1) a dramatic reading of the opening dialogue followed by true-false questions, (2) new exercises for each grammatical point, ranging from the simple to the more complex, (3) a listening passage based on the *Lettura* and followed by comprehension questions, and (4) a thematic dictation to be written out by students.

All directions and model sentences are given in the laboratory manual as well as on the tape. With the exception of the dictation and a few other exercises, all laboratory activities require oral responses. A solid line indicates where a written response is required; a dotted line indicates that the response is to be oral. In this case the correct answer is given on tape for immediate confirmation.

The exercises that form the second part of the manual focus on each chapter's new grammatical structures and are designed to reinforce the students' writing skill. They also encourage creativity through a variety of assignments, which culminate in a longer assignment relating to the chapter's theme and integrating the chapter's grammar and vocabulary.

In order to increase students' interest, oral as well as written exercises are presented in a context that evokes meaningful situations. Also, for easy reference to the textbook, the headings of the grammar points for each chapter correspond exactly to those in the textbook. In addition, all pronunciation exercises are concentrated in the preliminary chapter in order to reinforce and expand the principles presented in the corresponding chapter of the textbook. Students are therefore invited to go back to these initial pronunciation exercises any time they experience difficulties with Italian phonetics.

Carla Federici
Carla Larese Riga

C O N T E N T S

CAPITOLO PRELIMINARE

PART ONE: LABORATORIO

I. The alphabet

A. *Repeat each letter of the Italian alphabet after the speaker.*

a   b   c   d   e   f   g   h   i   l   m   n   o   p   q   r   s   t   u   v   z

B. *Repeat after the speaker. Five additional letters appear in words of foreign origin.*

j   k   w   x   y

C. *Write the letter you hear.*

1. _____   2. _____   3. _____   4. _____

5. _____   6. _____   7. _____   8. _____

9. _____   10. _____   11. _____   12. _____

II. The vowels

A. *The following vowel sounds are pronounced with the tongue toward the front of the mouth and the lips spread, while your mouth opens gradually. Repeat after the speaker.*

/ i / as in v<u>ini</u>
/ e / as in v<u>e</u>d<u>e</u>
/ ɛ / as in <u>e</u>cco
/ a / as in <u>m</u>amm<u>a</u>

Repeat the following groups of words:

```
i     e     è     ha
si    se    sè    sa
ti    te    tè    tale
li    le    lei   la
```

Repeat the following pairs of words, noting the difference between the closed and the open sound of e:

/ e /	/ ɛ /
sete	sette
vero	verbo
pera	perdere
trenta	testa
francese	fratello

B. *The following vowel sounds are pronounced with the tongue back and the lips rounded, while your mouth closes gradually:*

/ ɔ / as in oggi
/ o / as in nome
/ u / as in una

Repeat the following groups of words after the speaker:

```
ho    o      un
do    dono   duro
roba  ora    ruba
```

Repeat the following pairs of words, noting the difference between the closed and the open sound of o:

/ o /	/ ɔ /
non	no
dono	donna
dove	dorme
giorno	oggi
faro	farò

III. Diphthongs

When the letters i and u are unstressed before or after another vowel, they form a diphthong and acquire the semivowel sounds of /ǰ/ and /w/. Repeat the following words:

/ j / più   piano   giorno   mai   noi   ciao
/ w / uomo   buono   uguale   Guido   Europa   Laura

Two semivowels and one vowel combine to form a triphthong. Repeat after the speaker:

miei   tuoi   vuoi   puoi   suoi

2

*In stressed position, i and u are not semivowels and are therefore pro-
nounced as separate syllables. Repeat first the complete word, then the
same word divided into syllables.*

mío	mi-o	paúra	pa-u-ra
túa	tu-a	farmacía	far-ma-ci-a
Dío	Di-o	addío	ad-di-o

IV. The consonants

A. *The single consonants b, f, m, n, and v are pronounced in Italian as
they are in English, but are articulated more clearly. Repeat after
the speaker:*

/ b /	bene	bambino	bello	biblioteca
/ f /	fame	favore	frase	infelice
/ m /	Milano	metro	bimbo	amo
/ n /	Nina	notte	nome	sano
/ v /	vita	vento	lavoro	avere

Repeat and compare the pronunciation of the following words:

/ f /	/ v /		/ v /	/ b /
fede	vede		vasta	basta
inferno	inverno		vice	Bice
finto	vinto		vado	bado

B. *The consonant h is always silent, even in words of foreign origin.
Repeat the following words without aspiration:*

ho   hanno   oh!   hotel   hostess

C. *The consonants d and t are similar to English, but are more dentalized
and without the explosive puff of air distinctive or the English pronunciation. Repeat after the speaker:*

/ d /	due	denti	vado	grande	caldo	modo	dollaro
/ t /	tre	Tivoli	alto	altro	tempo	molto	stanco

Repeat and compare the pronunciation of the following words:

/ t /	/ s /		/ t /	/ d /
tiro	stiro		Tino	Dino
tonare	stonare		moto	modo
torto	storto		alto	Aldo

D. *The consonant p /p/ is pronounced like it is in English but is less
plosive. Repeat after the speaker:*

papa   papà   dopo   parola   apro   spesso   psicologia

Now repeat and compare the pronunciation of the following words:

/ p /	/ s /		/ p /	/ b /
pago	spago		pere	bere
pacco	spacco		pasta	basta
Pina	spina		alpino	albino

E. *The consonant* q /kw/ *is always followed by the letter* u, *and is pronounced like* qu *in* quest. *Repeat after the speaker:*

qui   quando   quanto   Pasqua   quale   quaderno   quindici
quadro   qualche   questo   quello   quaranta   quartetto   quasi

F. *The consonant* l /l/ *is similar to the* l *in English, but is pronounced more forward in the mouth, with the tip of the tongue against the upper front teeth. Repeat the following words:*

la   lira   lei   libro   lingua   lavoro   albergo   molto   falso
svelto   volto   splendido   calmo

G. *The consonant* r /r/ *is formed by the vibrations of the tip of the tongue against the gum of the upper front teeth. To pronounce this sound, breathe deeply and then exhale, allowing the force of respiration to vibrate the tip of the tongue, while your jaws and lips are slightly open. Remember that when* r *is doubled, it is rolled considerably more. Repeat the following words after the speaker:*

radio   raro   Roma   parere   fare   sera   vero
madre   padre   treno   entrare   dietro   prego   strada
carta   parla   porta   verbo   arte   firma   verde
corro   terra   birra   marrone   arrivederci   verrò

Repeat and compare the following sounds:

/ l /	/ r /		/ r /	/ rr /
lana	rana		caro	carro
pelo	pero		vero	verrò
colto	costo		sera	serra
palma	Parma		Maria	m'arriva

H. *The letter* s *has the sound* /z/ *as in* rose, *when it is between vowels or when it begins a word in combination with the voiced consonants* b, d, g, l, m, n, r, *and* v. *Repeat after the speaker:*

rosa   paese   Pisa   esame   così   cosa   francese
sbaglio   sdentato   sleale   smania   snello   sregolato   svedese

In all other cases, s *is pronounced like the* s *in* sell. *Repeat the following words:*

sì   senza   sabato   suono   studio   testa   scorso
pensare   rosso   benissimo   dissi   vissi   felicissima

I. *The letter z may be voiced or voiceless. Voiced z is pronounced like the ds in beds. Most Italians use this sound when pronouncing z in initial position. Repeat the following words:*

zaino   zero   zeta   zoo   zitto   zodiaco   zanzara

The unvoiced z sounds like the ts in bets. It is the sound most often used when z is not initial. Repeat the following words:

notizia Venezia grazie colazione traduzione negozio silenzio
abbastanza Firenze differenza stanza marzo vacanza
ragazzo piazza pizza prezzo palazzo ricchezza

J. *The letters c and g have both a soft and a hard sound. They are soft when followed by the vowels i and e. Repeat the following words:*

/ č /

cinema ciao cinese civile bacio vicino Sicilia
cento Cesare cena c'è luce cercare Cecilia

/ ǧ /

giro pagina giorno viaggio Gino Gigi
gelato gentile dipinge generale gesto piangere

c and g are hard in all other cases. Repeat the following words:

/ k /

caro caffè banca come poco amico Cuba cupola
chi che pochi chiamare chimica classe scrivere

/ g /

galleria gatto gonna lungo gusto guardare
laghi righe lunghe grosso greco grazie dogma

Repeat and compare the following words:

/ k /	/ g /	/ č /	/ ǧ /
cara	gara	Ciro	giro
bianco	piango	cucina	cugina
campa	gamba	mancia	mangia

K. *Some combinations of consonants require special attention.*

1. gli / ʎ / *sounds approximately like lli in million. To produce this sound press the tongue blade against the ridge behind the upper teeth. Repeat the following words:*

gli egli agli sugli figli begli svegli
figlio moglie famiglia tovaglia foglio meglio voglio

5

760-4444

Repeat and compare the pronunciation of the following words:

/1/	/ʎ/
lì	gli
fili	figli
mole	moglie
volo	voglio
Giulio	luglio

2. gn /ɲ/ *sounds approximately like* ni *in* onion. *Repeat after the speaker:*

signora   lavagna   cognome   compagni   ogni   insegnare
ingegnere   giugno   bagno   montagna   vigna   spagnolo

Repeat and note the closeness in articulation between the two sounds /ʎ/ *and* /ɲ/:

gli   gnocchi
gli   gnomi

3. sc *before* i *or* e *has a soft sound* /š/, *as in* shell. *Repeat the following words:*

sciare   scientifico   sciopero   scelta   scena   pesce   ascensore

Now repeat and compare the pronunciation of the following words:

/s/	/š/
sì	sci
pesi	pesci
casa	Cascia

4. sch *before* i *or* e *has a hard sound* /sk/, *as in* skill. *Repeat the following words:*

schiavo   schiena   dischi   tedeschi   maschile   schiaffo
pesche   scherzo   schema   scherma   tedesche   mosche

Now repeat and compare the pronunciation of the following words:

/š/	/sk/
scema	schema
pesce	pesche
sciocco	schiocco

L. *Double consonants are usually pronounced twice as long as a single consonant. Repeat the following words after the speaker, noting the clear distinction between single and double consonants:*

casa	cassa	bruto	brutto
rosa	rossa	eco	ecco
sera	serra	nono	nonno
sano	sanno	camino	cammino
fresco	affresco	sono	sonno

6

V. Syllabication

The proper division of words into syllables is very important for correct pronunciation and spelling.

A. *A single consonant between two vowels belongs with the following vowel or diphthong. First repeat the complete word, then repeat it divided into syllables.*

vocale	vo-ca-le	nome	no-me
lezione	le-zio-ne	italiano	i-ta-lia-no

B. *Double consonants are always divided. First repeat the complete word, then repeat it divided into syllables.*

bello	bel-lo	mezzo	mez-zo
sillaba	sil-la-ba	ragazza	ra-gaz-za
rosso	ros-so	appetito	ap-pe-ti-to

C. *A combination of two different consonants belongs with the following vowel, unless the first consonant is l, m, n, or r. In this case, the two consonants are divided. First repeat the complete word, then repeat it divided into syllables.*

1. presto	pre-sto	sopra	so-pra
signora	si-gno-ra	prima	pri-ma
libro	li-bro	padre	pa-dre

2. studente	stu-den-te	simpatico	sim-pa-ti-co
venti	ven-ti	giorno	gior-no

D. *When three consonants are combined, the first goes with the preceding syllable, except s, which goes with the following syllable. Repeat after the speaker:*

1. altro	al-tro	sempre	sem-pre
entrare	en-tra-re	inglese	in-gle-se

2. finestra	fi-nes-tra	espresso	e-spres-so
costruzione	co-stru-zio-ne	spremuta	spre-mu-ta

E. *Unstressed i and u are not divided from the adjoining vowel with which they form a diphthong. Repeat after the speaker:*

uomo	uo-mo	buono	buo-no
grazie	gra-zie	cuore	cuo-re
piede	pie-de	paziente	pa-zien-te

VI. Stress

A. *The majority of Italian words are stressed on the next-to-the-last syllable. Repeat after the speaker:*

signora   bambino   ragazzo   cantare
venire   parola   occasione   leone
dicembre   economia   edificio   risparmiare

B. *Several words are stressed on the last syllable. Notice that they have a written accent on the last vowel. Repeat after the speaker:*

città   virtù   perchè   lunedì   così
affinchè   caffè   ciò   più   parlò
università   facoltà   felicità   papà

C. *Several words have the stress on the third-from-the-last syllable, and a few verb forms are stressed on the fourth-from-the-last syllable. Repeat after the speaker:*

sabato   compito   tavola   difficile   benissimo
dimenticano   abitano   desiderano   telefonano   salutamelo

D. *Occasionally the difference in stress may also imply a difference in meaning. Repeat after the speaker:*

meta (*destination*)	metà (*half*)
onesta (*honest*)	onestà (*honesty*)
papa (*pope*)	papà (*daddy*)
perdono (*they lose*)	perdono (*forgiveness*)
unita (*united*)	unità (*unity*)

VII. Intonation

Each syllable is important in determining the tempo of the Italian sentence. Try to maintain a smooth, even timing when pronouncing the following sentences. Repeat after the speaker, dividing first into syllables and then without syllabication.

So-no Mar-cel-lo Scot-ti.   Sono Marcello Scotti.
Sia-mo stu-den-ti d'i-tal-lia-no.   Siamo studenti d'italiano.
È u-na pro-fes-so-res-sa d'in-gle-se.   È una professoressa d'inglese.
A-bi-to a Ve-ne-zia.   Abito a Venezia.

Note that in declarative sentences the voice follows a gently undulated movement, dropping toward the end. When asking a question, however, the voice rises on the last syllable. Repeat and compare the different intonation:

1. I signori Betti sono di Milano.

2. Sono di Milano i signori Betti?

3. In classe ci sono venti studenti.

4. Ci sono venti studenti in classe?

5. La signora è a casa.

6. È a casa la signora?

PART TWO: ESERCIZI SUPPLEMENTARI

I. Italian pronunciation

Divide the following words into syllables.

1. Italia _____

2. sette _____

3. domanda _____

4. buongiorno _____

5. piacere _____

6. grazie _____

7. città _____

8. studentessa _____

9. università _____

10. cognome _____

11. scuola _____

12. Leonardo _____

13. affresco _____

14. arrivederci _____

15. signora _____

16. consonante _____

II. Cognates

A. *Give the English equivalent of the following words.*

1. geografia _____

2. pubblicità _____

3. fisica _____

4. professione _____

5. socialismo _____

6. violenza _____

7. intelligente _____

8. possibile _____

9. finire _____

10. conversazione _____

11. dizionario _____

12. attore _____

13. speciale _____

14. comunità _____

15. corretto _____ 17. indicare _____

16. nervoso _____ 18. organizzare _____

B. *Give the Italian equivalent of the following words.*

1. direct _____ 9. pessimism _____

2. generous _____ 10. salary _____

3. educate _____ 11. attention _____

4. original _____ 12. motor _____

5. terrible _____ 13. pessimist _____

6. discussion _____ 14. music _____

7. university _____ 15. difference _____

8. indifference _____ 16. student _____

1

PART ONE: LABORATORIO

DIALOGUE

Listen to the dialogue as you read along:

Una presentazione

Franco *presenta* la signorina Marini a un amico.

Franco	Ciao, Claudio. Come va?
Claudio	Bene, grazie, e tu?
Franco	Bene. Claudio, *ti presento* Gisella Marini, un'amica.
Claudio	Molto piacere.
Gisella	Piacere.
Claudio	Di dov'è Lei, signorina?
Gisella	Sono di Roma.
Franco	Gisella è studentessa di biologia *qui* a Milano.
Claudio	*Davvero?* Anch'io sono studente di biologia.
Franco	Scusa, Claudio, *ma siamo in ritardo*. Arriverderci.
Claudio	Ciao. ArrivederLa, signorina.
Gisella	ArrivederLa.

Questions

Now you will hear four statements about the dialogue. Circle È vero *if the statement is true, and* Non è vero *if it is false.*

 1. È vero.   Non è vero.

 2. È vero.   Non è vero.

 3. È vero.   Non è vero.

 4. È vero.   Non è vero.

I. *Essere*

A. *Repeat the model sentence after the speaker. Then form a new sentence by substituting the cued noun or pronoun. Repeat each response after the speaker.*

Esempio: Maria è in classe. (Io)
Io sono in classe.

1. ..... 2. ..... 3. ..... 4. ..... 5. ..... 6. ......

B. *Change each statement you hear into a question, as in the example. Then repeat the response after the speaker.*

Esempio: Marco è professore. *È professore Marco?*

1. ..... 2. ..... 3. ..... 4. ..... 5. .....

C. *Answer each question in the negative. Then repeat the response after the speaker.*

Esempio: Sono in classe Marisa e Gina?
No, Marisa e Gina non sono in classe.

1. ..... 2. ..... 3. ..... 4. ..... 5. ..... 6. .....

II. The indefinite article

Ask a question, using dov'è *and the correct form of the indefinite article. Then repeat the response after the speaker.*

Esempio: piazza *Dov'è una piazza?*

1. ..... 2. ..... 3. ..... 4. ..... 5. ..... 6. .....

III. Interrogative expressions

Ask a question that would elicit each given answer. Then repeat the response after the speaker.

Esempio: San Francisco è in California. *Dov'è San Francisco?*

1. ..... 2. ..... 3. ..... 4. ..... 5. .....

LISTENING COMPREHENSION

You will hear a statement followed by a question. Answer the question in the pause provided. Then repeat the response after the speaker.

1. ..... 2. ..... 3. ..... 4. ..... 5. .....

DICTATION

The speaker will read a short passage three times. The first time, listen carefully to the entire passage. The second time, write what you hear in the space provided. The third time, listen and check what you have written.

_____

_____

_____

_____

_____

_____

PART TWO: ESERCIZI SUPPLEMENTARI

I. _Essere_

A. _Change the verb form according to each subject in parentheses._

   1. Noi siamo in classe. (tu, anche loro, tu e Paolo, Lisa, io)

_____

_____

B. _Complete with the correct form of_ essere.

   1. Lisa _____ a Firenze.

   2. Noi _____ in Italia.

   3. Voi _____ studenti.

   4. Pio e Gino _____ in classe.

   5. Io _____ professore.

   6. Tu _____ ingegnere.

C. *Change each statement into a question.*

1. Firenze è una città. _____

2. Pio e Luigi sono in classe. _____

3. Tu e Lia siete a scuola. _____

4. Firenze è in Italia. _____

5. Tu sei professore. _____

D. *Answer each question in the negative.*

Esempio: Marcello è con una ragazza?
          No, Marcello non è con una ragazza.

1. Luca è dottore? _____

2. Voi siete a Firenze? _____

3. Tu sei in classe oggi? _____

4. Noi siamo amici di Lia? _____

5. Io sono di Milano? _____

6. Loro sono in Italia? _____

II. The indefinite article

Supply the indefinite article of each noun.

_____ città	_____ studente	_____ libro
_____ amico	_____ professore	_____ amica
_____ università	_____ zio	_____ ingegnere

III. Interrogative expressions

A. *Write the question that would elicit each answer by using* chi, che, (cosa, che cosa), dove, come, *or* quando.

Esempio: Francesco è a casa. *Dov'è Francesco?*

1. Luigi sta bene. _____

2. Marcello è a Roma. _____

3. Siamo a scuola oggi. _____

4. *Amleto* è una tragedia di Shakespeare. _____

5. Gino è un amico di Marisa. _____

6. Roma è una città. _____

7. Venezia è in Italia. _____

B. *Unscramble each group of words to form a sentence.*

Esempio: (Roma città di è Italia una)
    Roma è una città d'Italia.

1. (in è Firenze Italia) _____

2. (amico un Giovanni sono io) _____

3. (classe siamo oggi in noi) _____

4. (amici Mario sono e Franca?) _____

5. (Luigi siete dove tu e?) _____

2

PART ONE: LABORATORIO

DIALOGUE

Listen to the dialogue as you read along.

Milano

(In treno.)

Alberto	Ecco Milano!
Passeggero	È grande?
Alberto	È una città di circa due milioni di abitanti.
Passeggero	Ci sono *molte* attrazioni?
Alberto	Sì, *in centro* ci sono il *Duomo,* la Galleria, la *Scala...*
Passeggero	Che cosa c'è in Galleria?
Alberto	Ci sono negozi, caffè, ristoranti e uffici.
Passeggero	Ci sono giardini a Milano?
Alberto	Sì, molti giardini. E c'è anche il parco *del* Castello Sforzesco.
Passeggero	È a Milano l'affresco di Leonardo, *L'Ultima Cena*?
Alberto	Sì, *si trova* in una chiesa in Corso Magenta: Santa Maria delle Grazie.
Passeggero	Ci sono anche *fabbriche*?
Alberto	Oh, sì! Milano è una città molto industriale.

Questions

Now you will hear four statements about the dialogue. Circle È vero *if the statement is true, and* Non è vero *if it is false.*

1. È vero.   Non è vero.   3. È vero.   Non è vero.

2. È vero.   Non è vero.   4. È vero.   Non è vero.

I. The noun

A. *Listen to the following singular nouns. Circle M if the noun is masculine, and F if it is feminine.*

1. M F   5. M F   9. M   F

2. M F   6. M F   10. M   F

3. M F   7. M F

4. M F   8. M F

B. *Answer each question in the negative, as in the example. Then repeat the response after the speaker.*

Esempio: È un bambino?   *No, sono due bambini.*

1. .....   2. .....   3. .....   4. .....   5. .....   6. .....

7. ....   8. .....

II. The definite article

A. *Marcello is answering a passerby who is inquiring about a specific person, place, or thing. Following the example, use the cue to re-create his answers. Repeat the response after the speaker.*

Esempio: (una ragazza) *Ecco la ragazza!*

1. .....   2. .....   3. .....   4. ......   5. .....   6. .....

B. *Change each sentence from the singular to the plural. Then repeat the response after the speaker.*

Esempio: Dov'è la signorina? *Dove sono le signorine?*

1. .....   2. .....   3. .....   4. .....   5. .....   6. .....

7. .....   8. .....

III. Titles

Greet the following people as in the example. Then repeat the response after the speaker.

Esempio: Ecco il signor Bettini!   *Buon giorno, signor Bettini!*

1. .....   2. .....   3. .....   4. .....   5. .....

IV. *C'è, ci sono* versus *Ecco!*

A. *You would like to move to a small town, but want to be sure it has the following essential places and services. Start each question with* C'è *or* Ci sono, *according to the cue. Then repeat the response after the speaker.*

Esempio: il cinema *C'è anche il cinema?*
              gli autobus *Ci sono anche gli autobus?*

1. .....   2. .....   3. .....   4. .....   5. .....   6. .....

B. *Dino Campana is showing his hometown to a friend. Use the cue to re-create each statement. Then repeat the response after the speaker.*

Esempio: (piazza) *Ecco la piazza!*

1. .....   2. .....   3. .....   4. .....   5. .....   6. .....

7. .....   8. .....

V. Cardinal numbers: 0 to 20

A. *Count from zero to twenty in Italian, repeating each number after the speaker.*

....

....

....

B. *Give the number that comes after each of the following numbers. Then repeat the response after the speaker.*

Esempio: (due) *tre*

....

LISTENING COMPREHENSION

You will hear a statement followed by a question. Answer the question in the pause provided. Then repeat the response after the speaker.

1. .....   2. .....   3. .....   4. .....   5. .....

The speaker will read a short passage three times. The first time, listen carefully to the entire passage. The second time, write what you hear in the space provided. The third time, listen and check what you have written.

_____

_____

_____

_____

_____

_____

PART TWO: ESERCIZI SUPPLEMENTARI

I. The noun

A. *Indicate the gender of each noun by writing* M *(masculine) or* F *(feminine) in the blank.*

1. studentessa _____

2. pittore _____

3. ristorante _____

4. stazione _____

5. automobile _____

6. biblioteca _____

7. mercato _____

8. orologio _____

9. parola _____

10. opinione _____

11. caffè _____

12. animale _____

B. *Change each noun from singular to plural.*

1. scuola _____

2. professore _____

3. lezione _____

4. giorno _____

5. signora _____

6. amica _____

7. banca _____

8. ufficio _____

9. bar _____

10. caffè _____

11. città _____

12. autobus _____

II. The definite article

A. *Supply the appropriate forms of the definite article.*

1. _____ ragazzo e _____ ragazza

2. _____ signore e _____ signora

3. _____ studio e _____ studente

4. _____ numero e _____ zero

5. _____ giardino e _____ albero

6. _____ città e _____ stato

7. _____ orologio e _____ ora (*hour*)

B. *Complete each sentence, using the definite article and the noun in the plural form.*

Esempio: (bambina) *Le bambine* sono a casa.

1. (ragazzo) _____ sono a scuola.

2. (studente) _____ sono in classe.

3. (ingegnere) _____ sono in fabbrica.

4. (professore) _____ sono in ufficio.

5. (banca) _____ sono in centro.

6. (negozio) _____ sono in via Mazzini.

7. (fabbrica) _____ sono in periferia (*outskirts*).

8. (amica) _____ sono in giardino.

C. *Complete each sentence with the correct form of the definite article.*

1. Dove sono _____ fiori e _____ alberi?

2. Com'è _____ ristorante Biffi?

3. _____ stato di Washington è in America.

4. Dove sono _____ libri di Maria?

5. Ecco _____ attrazioni per _____ bambini.

6. Ecco _____ fontana di Trevi.

7. _____ ospedale è in periferia.

III. Titles

A. *Greet each person below, using the full title for the abbreviation in parentheses.*

1. (dott.)   Buon giorno, _____ Pericoli.

2. (prof.)   Buon giorno, _____ Pazienza.

3. (sig.na) Come va, _____ Betti?

4. (sig.)   Arrivederci, _____ Macchi.

B. *Complete each sentence, using the title in parentheses and the appropriate definite article.*

1. (professore) Dov'è _____ Sapienza?

2. (ingegnere)   Come sta _____ Guzzi?

3. (signori)   Sono a casa _____ Catalano?

4. (signora)   C'è _____ Ponti?

5. (dottore)   È in ufficio _____ Penicillina?

IV. *C'è, ci sono* versus *Ecco!*

A. *Rewrite each sentence using* Ecco *and the appropriate form of the definite article.*

Esempio: C'è un signore. *Ecco il signore!*

1. C'è un'autostrada. _____

2. C'è un museo. _____

3. C'è un autobus. _____

4. C'è un tram. _____

5. C'è una fabbrica. _____

6. C'è uno studio. _____

7. C'è un orologio. _____

8. C'è un affresco. _____

B. *Complete each sentence with* C'è *or* Ci sono *in the negative.*

1. _____ la metropolitana a Firenze.

2. _____ automobili in centro.

3. _____ fiori in giardino.

4. _____ lezione oggi.

5. _____ attrazioni in città.

6. _____ studenti in classe.

7. _____ una fontana in piazza.

V. Cardinal numbers: 0 to 20

A. *Counting by twos from 0 to 20, write out each number.*

_____

_____

_____

B. *Write the following sentences in Italian.*

1. There is one house. _____

2. There are six sentences. _____

3. There are eight pages. _____

4. There is one tree. _____

5. There are fourteen days. _____

6. There is one student. _____

7. There are twenty books. _____

COMPOSIZIONE SCRITTA

Descrivete che cosa c'è nella vostra (*your*) città, seguendo (*following*) l'esempio del dialogo "Milano".

3

PART ONE: LABORATORIO

DIALOGUE

Listen to the dialogue as you read along.

<u>Com'è il tuo compagno di stanza?</u>

Rita	Ciao, Luciano. Sei solo *quest*'anno?
Luciano	No, ho un nuovo compagno di stanza. Si chiama Hans. È tedesco, di Berlino.
Rita	Com'è? È un ragazzo simpatico?
Luciano	Sì, è un ragazzo molto simpatico. È anche un bel ragazzo—alto, biondo, con gli occhi verdi—e molto sportivo.
Rita	È un bravo studente?
Luciano	Sì, è molto studioso e parla quattro lingue.
Rita	Sono curiosa *di conoscerlo.*
Luciano	Bene. Domani sera *abbiamo* una festa al dormitorio. Sei invitata.
Rita	Grazie. Hai una vecchia grammatica di tedesco?
Luciano	Sì, ma perchè?
Rita	*Per imparare* cinque o sei frasi per domani sera.

Questions

Now you will hear four statements about the dialogue. Circle <u>È vero</u> if the statement is true, and <u>Non è vero</u> if it is false.

1. È vero.   Non è vero.   3. È vero.   Non è vero.

2. È vero.   Non è vero.   4. È vero.   Non è vero.

I. The adjective

A. *Listen to the model sentence. Then form a new sentence by substituting the cued noun and making all necessary changes. Repeat each response after the speaker.*

Esempio: Gisella è italiana. (Franco e Gino)
Franco e Gino sono italiani.

1. ..... 2. ..... 3. ..... 4. ..... 5. ..... 6. .....

B. *Place the adjective before or after the noun and make the appropriate agreement. Then repeat the response after the speaker.*

Esempi: la signora/giovane *la giovane signora*
i fiori/rossi *i fiori rossi*

1. ..... 2. ..... 3. ..... 4. ..... 5. ..... 6. .....

7. ..... 8. ..... 9. .....

II. *Buono, bello, grande*

A. *Answer each question using the adjective* buono. *Then repeat the response after the speaker.*

1. Esempio: Com'è il vino? *È un buon vino.*

....
....
....
....

2. Esempio: Come sono i vini? *Sono buoni vini.*

....
....
....

B. *A friend is pointing out people and things to you in a photo. You respond by using* Che *plus the adjective* bello. *Then repeat the response after the speaker.*

Esempio: Ecco un giardino. *Che bel giardino!*

1. ..... 2. ..... 3. ..... 4. ..... 5. ..... 6. .....

III. *Quale?* and *che?*

A. *A friend is asking you where the following things are, but you want him to be more specific by asking* Quale...? *Repeat each response after the speaker.*

Esempio: Dov'è il parco? *Quale parco?*

1. .....   2. .....   3. .....   4. .....   5. .....

B. *A friend is making a statement about the following things, but you want him to be more specific by asking* Che...? *Repeat each response after the speaker.*

Esempio: Oggi io ho una lezione. *Che lezione?*

1. .....   2. .....   3. .....   4. .....

IV. *Avere*

A. *Listen to the model sentence. Then form a new sentence by substituting the cued nouns or pronouns. Repeat each response after the speaker.*

Esempio: Io ho un appartamento. (Tu e Gina)
         Tu e Gina avete un appartamento.

1. .....   2. .....   3. .....   4. .....   5. .....   6. .....

B. *Answer each question in the negative. Then repeat the response after the speaker.*

Esempio: Avete una macchina voi? *No, noi non abbiamo una macchina.*

1. .....   2. .....   3. .....   4. .....   5. .....

LISTENING COMPREHENSION

Listen carefully to the following passage. Afterward, you will be asked questions about it. Answer each question in the pause provided. Then repeat the response after the speaker.

1. .....   2. .....   3. .....   4. .....   5. .....

DICTATION

The speaker will read a short passage three times. The first time, listen carefully to the entire passage. The second time, write what you hear in the space provided. The third time, listen and check what you have written.

_____

_____

_____

_____

_____

_____

PART TWO: ESERCIZI SUPPLEMENTARI

I. The adjective

A. *Rewrite each sentence using the subject in parentheses and changing the adjective accordingly.*

Esempio: Il ragazzo è simpatico. (la ragazza)
La ragazza è simpatica.

1. Lo studente è bravo. (la studentessa)

_____

2. Il bambino è intelligente. (la bambina)

_____

3. La zia è ricca. (lo zio)

_____

4. Il signore è francese. (la signora)

_____

5. La professoressa è tedesca. (il professore)

_____

B. *Complete each sentence with the correct form of the adjective in parentheses.*

Esempio: (magro) Luigi è *magro* .

1. (alto) Teresa e Maria sono _____.

2. (verde) La casa di Tonino è _____.

3. (bravo) I dottori sono _____.

4. (difficile) Le lezioni d'italiano sono _____.

5. (intelligente) Gli studenti sono _____.

6. (nero) Gli occhi di Maria sono _____.

7. (lungo) I capelli di Tonino sono _____.

8. (simpatico) Le amiche di Gina sono _____.

9. (biondo) La mamma di Gino è _____.

C. *Change each sentence from the singular to the plural or vice versa, making the necessary changes.*

Esempio: Il giardino è piccolo. (i giardini)
       I giardini sono piccoli.

1. Le lezioni sono facili. (la lezione)

_____

2. I dottori sono bravi. (il dottore)

_____

3. La fontana è bella. (le fontane)

_____

4. Le piazze sono grandi. (la piazza)

_____

5. La signorina è americana. (le signorine)

_____

6. La ragazza è tedesca. (le ragazze)

_____

7. I ragazzi sono biondi. (il ragazzo)

_____

8. La macchina è vecchia. (le macchine)

_____

9. Gli amici di Pino sono inglesi. (l'amico)

_____

10. La bicicletta è rossa. (le biciclette)

_____

11. La strada è lunga. (le strade)

_____

12. La zia di Pino è simpatica. (le zie)

_____

D. *Form a sentence by placing the two adjectives in the proper place in relation to the noun and making the necessary agreement.*

Esempio: (una casa / rossa / piccola) *È una piccola casa rossa.*

1. un cane / nero / grande

_____

2. due ragazze / bionde / belle

_____

3. una macchina / blu / bella

_____

4. due signore / americane / belle

_____

5. una bicicletta / inglese / vecchia

_____

6. due amici / italiani / cari

_____

7. tre alberi / verdi / grandi

_____

E. *Answer each question by using* molto *before the adjective.*

Esempio: Roma è una grande città? *Sì, Roma è una città molto grande.*

1. Marisa è una bella ragazza?

_____

2. Gli zii di Pietro sono ricchi?

_____

3. Le donne italiane sono eleganti?

_____

4. È una lezione importante?

_____

II. *Buono,* bello, grande

A. *Answer each question substituting* buono *for* cattivo.

Esempio: È un cattivo studente Pippo? *No, Pippo è un buono studente.*

1. Pia e Lia sono due cattive ragazze?

_____

2. È un cattivo ristorante?

_____

3. Sono due cattivi amici?

_____

4. È una cattiva idea?

_____

5. Il Prof. Rossi è un cattivo professore?

_____

B. *Using the adjective* bello, *make a comment about the following people or things.*

Esempio: (la macchina di Andrea) *Che bella macchina!*

1. il ragazzo di Pina.

_____

2. gli occhi di Lucia

_____

3. i bambini di Renata

_____

4. un albergo (*hotel*) di Riccione

_____

5. lo zoo di San Diego

_____

6. la lingua italiana

_____

C. *Modify each statement by adding the adjective* grande.

Esempio: Ecco un appartamento. *Ecco un grande (grand') appartamento!*

1. Ecco una signora. _____

2. Ecco un'idea. _____

3. Ecco una macchina americana. _____

4. Ecco un uomo. _____

5. Ecco due amici. _____

III. *Quale?*

A friend is asking you where the following things are, but you want him to be more specific. Follow the example.

Esempio: Dov'è il libro? *Quale libro?*

1. Dove sono le lettere? _____

2. Dov'è il negozio? _____

32

3. Dove sono i monumenti? _____

4. Dov'è la banca? _____

5. Dov'è l'autobus? _____

IV. *Avere*

A. *Change the verb form according to each subject in parentheses.*

Franco ha un buon amico. (tu, anche loro, Luisa, io e Gino, io, voi)

_____

_____

B. *Complete each sentence with the correct form of* avere.

1. Gli zii di Gino _____ un appartamento in città.

2. Tu e Lisa _____ un buon professore?

3. Io _____ i capelli biondi.

4. Noi _____ uno zio ricco.

5. _____ una bicicletta tu?

6. Un dottore _____ una professione interessante.

C. *Answer each question in the negative.*

1. Hai una FIAT tu? _____

2. Avete dieci dollari? _____

3. Lisa ha uno zio in America? _____

4. Pio e Giulio hanno un amico tedesco? _____

_____

5. Noi abbiamo l'indirizzo di Gina? _____

_____

6. Un professore ha una professione noiosa? _____

_____

Descrivete un amico (un'amica) o una persona interessante usando molti aggettivi. *(Describe a friend or an interesting person, using many adjectives.)*

4

PART ONE: LABORATORIO

DIALOGUE

Listen to the dialogue as you read along.

<u>Molte lezioni e poco tempo</u>

Gino e Pietro sono *davanti a*lla biblioteca.

Gino	Pietro, quante lezioni hai oggi?
Pietro	Ho una lezione di biologia e un'altra di fisica. E tu?
Gino	Io ho un esame di chimica e *ho bisogno di* studiare perchè gli esami *del* Professor Riva sono sempre difficili.
Pietro	Non hai gli appunti?
Gino	No, ma Franco, *il mio compagno di stanza*, è un ragazzo molto studioso e ha molte pagine di appunti.
Pietro	Gino, *io ho fame,* e tu?
Gino	Anch'io. C'è un piccolo caffè *vicino alla* biblioteca. *Va bene?*
Pietro	Sì, va bene, perchè anch'io non ho molto tempo. Ho molti compiti per domani.
Gino	La vita dei poveri studenti non è facile!

Questions

Listen to each statement about the dialogue. Circle <u>È vero</u> if the statement is true, and <u>Non è vero</u> if it is false.

1. È vero.   Non è vero.   3. È vero.   Non è vero.

2. È vero.   Non è vero.   4. È vero.   Non è vero.

I. Prepositions

A. *Paolo lives in a huge villa and is showing his friends the different rooms. Re-create Paolo's statements, using the cue and following the example. Then repeat the response after the speaker.*

Esempio: (il papà) *È la stanza del papà.*

1. .....   2. .....   3. .....   4. .....   5. .....   6. .....

B. *Your roommate is looking for his history book. Tell him where it is, using the cue. Then repeat the response after the speaker.*

Esempio: (la scrivania) *Il libro è sulla scrivania.*

1. .....   2. .....   3. .....   4. .....   5. .....

C. *Form a question, using the cue and following the example. Then repeat the response after the speaker.*

Esempio: (il libro) *Ci sono fotografie nel libro?*

1. .....   2. .....   3. .....   4. .....   5. .....

II. Adverbial prepositions

A. *Pierino is a child who likes to play in his garage and never keeps still. Retrace his movements, using the cue. Then repeat the response after the speaker.*

Esempio: (dentro) *Pierino è dentro la macchina.*

1. .....   2. .....   3. .....   4. .....   5. .....

B. *Lucia is visiting a new city and is asking about different places. Using the cues provided, answer each of her questions. Then repeat the response after the speaker.*

Esempio: Il museo è vicino all'università? (no / lontano)
       No, è lontano dall'università.

1. .....   2. .....   3. .....   4. .....

III. Idioms with <u>avere</u>

A. *Listen to the model sentence. Then form a new sentence by substituting the cue. Repeat the response after the speaker.*

1. Esempio: Non hai fame? (sete) *Non hai sete?*

    ....

2. Esempio: Luigi ha ragione. (anche tu) *Anche tu hai ragione.*

    ....

B. *It is the evening before an important test. Your roommate wants to help you and is asking if you need certain things. Answer her questions in the negative. Then repeat the response after the speaker.*

Esempio: Hai bisogno della penna? *No, non ho bisogno della penna.*

1. .....   2. .....   3. .....   4. .....   5. .....

IV. *Quanto?* and the cardinal numbers: 21 to 100

A. *Count by tens from 11 to 101, repeating each number after the speaker.*

    ....

    ....

B. *Correct the following people who aren't telling their exact age. They are actually two years older than what they say. Then repeat the response after the speaker.*

Esempio: Ho ventisei anni. *No, hai ventotto anni!*

1. .....   2. .....   3. .....   4. .....   5. .....

C. *Give the question that would elicit each of the following answers. Repeat each question after the speaker.*

Esempio: Papà ha quarantanove anni. *Quanti anni ha papà?*

1. .....   2. .....   3. .....   4. .....

LISTENING COMPREHENSION

Listen carefully to the following passage. Afterward you will be asked questions about it. Answer each question in the pause provided. Then repeat the response after the speaker.

1. .....   2. .....   3. .....   4. .....   5. .....

DICTATION

The speaker will read a short passage three times. Time first time, listen carefully. The second time, write what you hear in the space provided. The third time, listen and check what you have written.

_____

_____

_____

_____

_____

PART TWO: ESERCIZI SUPPLEMENTARI

I. Prepositions

A. *Indicate the owner of each of the following things according to the example.*

Esempio: (professore / penna) *È la penna del professore.*

1. (mamma / orologio) _____

2. (papà / sedia) _____

3. (bambini / letti) _____

4. (avvocato / macchina) _____

5. (signori / casa) _____

6. (studenti / esame) _____

B. *Indicate where the following persons or things can be found, using the elements given.*

Esempio: (su / tazza / tavolo) *La tazza è sul tavolo.*

1. (in / matita / cassetto) _____

2. (a / Pietro / conferenza) _____

3. (su / signori Bini / autobus) _____

4. (da / Luisa / dottore) _____

5. (su / libri / scaffali) _____

6. (su / fotografie / pareti) _____

7. (in / stanza / edificio) _____

II. Adverbial prepositions

Indicate the spatial relationship between Mary's hotel and each of the following places.

Esempio: (davanti / museo) *L'albergo è davanti al museo.*

1. (vicino / stazione) _____

2. (lontano / centro) _____

3. (dietro / duomo) _____

4. (lontano / giardini) _____

5. (davanti / posta) _____

6. (fuori / città) _____

III. Idioms with *avere*

A. *Ask a friend whether . . .*

1. he (she) is sleepy: _____

2. he (she) is hungry: _____

3. he (she) feels warm: _____

4. he (she) feels cold: _____

5. he (she) is thirsty: _____

6. he (she) needs money: _____

B. *Indicate whether, in your opinion, the person making the following statements is right or wrong by writing* Ha ragione *or* Ha torto.

1. "La fisica è una scienza molto facile." _____

2. "Un professore molto severo è un buon professore." _____

3. "Ho paura della bomba atomica." _____

4. "I clienti (*customers*) hanno sempre ragione." _____

5. "Al Polo Nord fa (*it is*) molto freddo." _____

C. *Indicate whether or not you need the following people or things.*

   Esempio: (libro) *Ho bisogno del libro.* or *Non ho bisogno del libro.*

   1. (dizionario di tedesco) _____

   2. (professore d'italiano) _____

   3. (matita rossa) _____

   4. (orologio) _____

   5. (amici) _____

   6. (sigarette) _____

IV. *Quanto?* and the cardinal numbers: 21 to 100

   A. *Write out the answers to the following arithmetic problems:*

      dodici + ventiquattro = _____

      settantadue – trentuno = _____

      venti x cinque = _____

      novantanove : nove = _____

   B. *You are in a bookstore and the salesperson is quoting you the price of each item you are buying. Write out the prices (¢ = centesimi; $ = dollari).*

      1. $48 _____ per il libro di chimica.

      2. $27 _____ per il dizionario d'italiano.

      3. $1.50 _____ per il quaderno.

      4. 80¢ _____ per la penna biro (*ballpoint pen*).

      5. $77.30 _____ per tutto.

C. *Write out the answers to the following questions.*

1. Quanti giorni ha il mese di dicembre?

_____

2. Quanti minuti ci sono in due ore?

_____

3. Quante ore ci sono in tre giorni?

_____

4. Quante settimane ha un anno?

_____

5. Quanti anni ha un secolo (*century*)?

_____

COMPOSIZIONE SCRITTA

Descrivete gli oggetti e il loro posto (*their location*) nella vostra stanza, o in classe o in ufficio.

5

PART ONE: LABORATORIO

DIALOGUE

Listen to the dialogue as you read along.

Al ristorante

Linda	È un *locale* piccolo, ma carino, no? Io non ho molta fame, e tu?
Gianni	*Ho una fame da lupo.* Ma che menù povero! Non ci sono *nè* lasagne *nè* scaloppine!
Linda	Per piacere, Gianni! Non sei stanco di *mangiare* sempre le stesse cose? Sst! Ecco il cameriere!
Cameriere	*Desiderano* un antipasto? Abbiamo del prosciutto delizioso.
Gianni	Non per me, grazie. Io desidero degli spaghetti al pomodoro. Anche tu, Linda?
Linda	*Scherzi?* Ho bisogno di vitamine, io, non di calorie. Per me, una zuppa di verdura.
Cameriere	E come secondo, che cosa *ordinano?* Oggi abbiamo arrosto di vitello, molto buono, con piselli.
Gianni	D'accordo. E tu, Linda?
Linda	Io desidero una bistecca con insalata verde.
Cameriere	Vino bianco o vino rosso?
Gianni	Vino rosso, per favore. Una *bottiglia*.

Questions

Listen to each statement about the dialogue. Circle È vero if the statement is true, and Non è vero if it is false.

1. È vero.   Non è vero.   3. È vero.   Non è vero.

2. È vero.   Non è vero.   4. È vero.   Non è vero.

43

I. Regular verbs ending in -are

A. *Listen to the model sentence. Then form a new sentence by substituting the given subject. Repeat each response after the speaker.*

Esempio: Pavarotti canta bene. (io) *Io canto bene.*

1. .....   2. .....   3. .....   4. .....   5. .....   6. .....

B. *Change each statement into a question. Then repeat the response after the speaker.*

Esempio: Pietro porta un regalo. *Porta un regalo Pietro?*

1. .....   2. .....   3. .....   4. .....   5. .....

C. *Answer each question in the negative. Then repeat the response after the speaker.*

Esempio: Mangi una bistecca?   *No, non mangio una bistecca.*

1. .....   2. .....   3. .....   .4. .....   5. .....

II. The partitive

A. *Complete the model sentence using the cue and the appropriate partitive. Repeat each response after the speaker.*

Esempio: Noi ordiniamo . . . (vino) *Noi ordiniamo del vino.*

1. .....   2. .....   3. .....   4. .....   5. .....   6. .....

B. *Complete the model sentence by using the cue given and the appropriate partitive. Repeat each response after the speaker.*

Esempio: In una città ci sono . . . (monumenti)
In una città ci sono dei monumenti.

1. .....   2. .....   3. .....   4. .....   5. .....   6. .....

C. *Answer each question affirmatively, replacing the article with the appropriate partitive. Repeat each response after the speaker.*

Esempio: Compri la carne? *Sì, compro della carne.*

1. .....   2. .....   3. .....   4. .....   5. .....

III. *Alcuni, qualche, un po' di*

A. *Answer each question in the affirmative and replace the partitive with* alcuni/alcune *as indicated in the example.*

Esempio: Compri dei gelati? *Sì, compro alcuni gelati.*

1. .....   2. .....   3. .....   4. .....

B. *Answer each question affirmatively, replacing the partitive with* qualche. *Repeat each response after the speaker.*

Esempio: Hai degli amici a Roma? *Sì, ho qualche amico a Roma.*

1. .....   2. .....   3. .....   4. .....

C. *Answer each question affirmatively, replacing the partitive with* un po' di. *Then repeat the response after the speaker.*

Esempio: Desideri del latte? *Sì, desidero un po' di latte.*

1. .....   2. .....   3. .....   4. .....

IV. *Molto, tanto, troppo, poco, tutto, ogni*

A. *Complete the model sentence with the correct form of* molto *and the given noun. Repeat each response after the speaker.*

Esempio: Noi compriamo . . . (pasta) *Noi compriamo molta pasta.*

1. .....   2. .....   3. .....   4. .....   5. .....

B. *Modify each sentence by replacing the definite article with the correct form of* troppo. *Repeat each response after the speaker.*

Esempio: Noi abbiamo i compiti. *Noi abbiamo troppi compiti.*

1. .....   2. .....   3. .....   4. .....

C. *Answer each question in the negative, replacing the adjective* molto *with the correct form of the adjective* poco. *Repeat the response after the speaker.*

Esempio: Hai molta fame? *No, ho poca fame.*

1. .....   2. .....   3. .....   4. .....

45

D. *Answer in the affirmative, using the correct form of* <u>tutto</u>. *Then repeat the response after the speaker.*

Esempio: Ci sono gli studenti? *Sì, ci sono tutti gli studenti.*

1. .....   2. .....   3. .....   4. .....

E. *Repeat each sentence, replacing* <u>tutti</u> *or* <u>tutte</u> *with* <u>ogni</u> *and making the necessary changes.*

Esempio: Io studio tutti i giorni. *Io studio ogni giorno.*

1. .....   2. .....   3. .....

LISTENING COMPREHENSION

Listen carefully to the following passage. Afterward, you will be asked questions about it. Answer each question in the pause provided. Repeat each response after the speaker.

1. .....   2. .....   3. .....   4. .....   5. .....

DICTATION

The speaker will read a short passage three times. First, listen carefully to the entire passage. The second time, write what you hear. The third time, check what you have written.

_____

_____

_____

_____

_____

_____

_____

PART TWO: ESERCIZI SUPPLEMENTARI

I. Regular verbs ending in -are: present tense

Change the verb form according to each subject in parentheses.

1. Liliana detesta cucinare. (io, voi, tu e io)

_____

_____

2. La cuoca prepara gli spaghetti al pomodoro. (tutti, noi, lui)

_____

_____

3. Antonio e Fido mangiano con appetito. (tu, Lei, noi due, Luigi e io)

_____

_____

4. La signora Rovati non compra dolci perchè è grassa. (noi, io, anche tu)

_____

_____

5. Porto gli amici alla festa. (lui e lei, tu, anche Antonio)

_____

_____

6. Il professor Bianchi spiega i verbi. (noi, Lucia, tu, io e lei)

_____

_____

7. Oggi studiamo una lezione di storia. (tu, voi, anch'io)

_____

_____

8. Ascolti musica classica alla radio? (voi, i ragazzi, io)

_____

_____

II. The partitive

A. *Complete the following with the appropriate forms of the partitive.*

Esempio: _della_ birra

Oggi io preparo il pranzo e ho bisogno _____ pasta, _____

carne, _____ vino, _____ spaghetti, _____ pane,

_____ pomodori, _____ caffè, _____ spinaci,

_____ zucchero, _____ spumante.

B. *Answer each question, replacing the article with the partitive and making the necessary changes.*

Esempio: Hai un libro d'italiano? *Ho dei libri d'italiano.*

1. Hai un'amica simpatica? _____

2. C'è un albero in piazza? _____

3. C'è un quadro sulla parete? _____

4. Avete una fotografia di Anna? _____

5. Ascoltate un disco? _____

6. Invitate un ragazzo alla festa? _____

7. Cantate una canzone italiana? _____

C. *Answer each question in the affirmative or the negative and replace the article with the partitive when necessary.*

Esempio: Hai degli amici? (sì) *Sì, ho degli amici.*
(no) *No, non ho amici.*

1. Compri del gelato? (sì) _____

2. Desiderate dei dolci? (no) _____

3. Cucinano del pesce? (no) _____

4. Porti delle lasagne? (sì) _____

5. Hai dei compagni di stanza? (no) _____

6. Avete degli esami oggi? (no) _____

7. Comprate dei regali? (sì) _____

III. *Alcuni, qualche, un pò di*

A. *Answer each question in the affirmative and replace the partitive with* alcuni *or* alcune.

Esempio: Arrivano degli amici alla festa? *Sì, arrivano alcuni amici.*

1. Ci sono delle sedie nella stanza?

_____

2. Ci sono dei ristoranti nella città?

_____

3. Aspetti degli studenti adesso?

_____

4. Hai delle bottiglie di acqua minerale?

_____

B. *Answer each question in the affirmative, replacing the partitive with* qualche *and making the necessary changes.*

Esempio: Ci sono dei regali? *Sì, c'è qualche regalo.*

1. Invitate dei ragazzi alla festa?

_____

2. Avete delle opinioni?

_____

3. Ci sono delle macchine nella strada?

_____

4. Compri delle bistecche?

_____

C. *Answer each question in the affirmative and replace the partitive with* un po' di.

Esempio: C'è del pane? *Sì, c'è un po' di pane.*

1. Desiderate del formaggio?

_____

2. Compri del prosciutto?

_____

3. Mangi del pane?

_____

4. C'è del pollo in frigo?

_____

IV. *Molto, tanto, troppo, poco, tutto, ogni*

A. *Modify each sentence by replacing the partitive with the correct form of* molto.

Esempio: Noi compriamo della pasta. *Noi compriamo molta pasta.*

1. Avete dei compiti per domani?

_____

2. C'è della Coca-Cola in frigo?

_____

3. Arrivano delle ragazze alla festa?

_____

4. Hai del tempo libero (*free*)?

_____

B. *Answer in the negative using the correct form of* poco.

Esempio: Hai tanti amici? *No, ho pochi amici.*

1. Avete tanta fame? _____

2. Studi molte ore? _____

3. Hai molto tempo? _____

4. Ascoltate molti dischi di musica classica? _____

C. *Respond to each statement by using* <u>troppo</u>. *Follow the example.*

Esempio: Io mangio degli spaghetti. *Tu mangi troppi spaghetti.*

1. Noi compriamo dei regali.

_____

2. Franca cucina della pasta.

_____

3. Gli studenti hanno delle lezioni per domani.

_____

4. Tu porti dei dolci per il pranzo.

_____

D. *Answer each question using the correct form of* <u>tutto</u>.

Esempio: Arrivano gli invitati? *Sì, arrivano tutti gli invitati.*

1. Marco mangia la torta?

_____

2. Il professore spiega le lezioni?

_____

3. Prepari il pranzo?

_____

4. Telefonate agli invitati?

_____

E. *Rewrite each sentence, replacing* <u>tutti/tutte</u> *with* <u>ogni</u>.

Esempio: Arrivate a scuola tutti i giorni?
          Sì, arriviamo a scuola ogni giorno.

1. Studi per tutti gli esami?

_____

2. Ascolti tutti i dischi di Michael Jackson?

_____

3. Avete bisogno di tutti gli amici?

_____

4. Lavori tutti i giorni?

_____

COMPOSIZIONE SCRITTA

Immaginate di essere in un ristorante italiano per un'occasione speciale.
Ordinate un pranzo completo (antipasto, primo piatto, ecc.).

6

PART ONE: LABORATORIO

DIALOGUE

Listen to the dialogue as you read along.

Una telefonata

Gianna telefona all'amica Marisa. La mamma di Marisa, la signora Pini, risponde al telefono.

Signora Pini	Pronto?
Gianna	Buon giorno, signora. Sono Gianna. Ç'è Marisa, per favore?
Signora Pini	Sì, un momento, è qui.
Marisa	Pronto? Ciao Gianna!
Gianna	*Finalmente! Il tuo* telefono è sempre occupato!
Marisa	Da dove telefoni?
Gianna	Sono a un telefono pubblico. E *dobbiamo* fare una telefonata breve perchè ho solo un gettone.
Marisa	Allora, *andiamo* al cinema nel pomeriggio?
Gianna	*Veramente io preferisco* giocare a tennis.
Marisa	Va bene. Perchè non andiamo in bicicletta al *campo da tennis?* E al ritorno andiamo a prendere un gelato.
Gianna	Perfetto. Sono *da te* in cinque minuti.

Questions

Listen to each statement about the dialogue. Circle È vero if the statement is true, and Non è vero if it is false.

1. È vero.   Non è vero.   3. È vero.   Non è vero.

2. È vero.   Non è vero.   4. È vero.   Non è vero.

I. Regular verbs ending in *-ere* and *-ire*: present tense

A. *Listen to the model sentence. Then form a new sentence by substituting the given verb form. Repeat the response after the speaker.*

Esempio: Io leggo molti libri. (tu leggi) *Tu leggi molti libri.*

1. .....   2. .....   3. .....   4. .....

B. *Listen to the model sentence. Then form a new sentence by substituting the given noun or pronoun and making all necessary changes. Repeat the response after the speaker.*

Esempio: Quante ore dormi tu? (Luisa) *Quante ore dorme Luisa?*

1. .....   2. .....   3. .....   4. .....   5. .....

C. *Marisa is asking Gianna about things she and her friends are doing. Use the cue and follow the example to answer Marisa's questions. Then repeat the response after the speaker.*

Esempio: Leggi il giornale adesso? (No.) *No, non leggo il giornale adesso.*

1. .....   2. .....   3. .....   4. .....   5. .....   6. .....

II. *-ire* verbs with the suffix *-isc*

A. *Listen to the model sentence. Then form a new sentence by substituting the given verb form.*

Esempio: Io non capisco la domanda. (tu non capisci)
Tu non capisci la domanda.

1. .....   2. .....   3. .....   4. .....

B. *Using the cues, state how the following people prefer to spend their time. Then repeat the response after the speaker.*

Esempio: Tu preferisci viaggiare. (Piero / leggere)
Piero preferisce leggere.

1. .....   2. .....   3. .....   4. .....   5. .....

III. Irregular verbs ending in *-are*

A. *Listen to the model sentence. Then form a new sentence by substituting the given verb form. Repeat the response after the speaker.*

Esempio: Io faccio una telefonata. (tu fai) *Tu fai una telefonata.*

1. .....   2. .....   3. .....   4. .....

B. *Form a new sentence by substituting the given subject and making all necessary changes. Repeat each response after the speaker.*

Esempio: Sto bene e do una festa. (la signora)
           La signora sta bene e da una festa.

1. .....   2. .....   3. .....   4. .....

C. *Tonight the following people are going to the movies. Say who is going by using the cue and following the example. Then repeat the response after the speaker.*

Esempio: La professoressa Rovati va al cinema. (Anch'io)
           Anch'io vado al cinema.

1. .....   2. .....   3. .....   4. .....   5. .....

D. *The following people buy groceries on different days of the week. State on which day they buy them, using the cues. Repeat each response after the speaker.*

Esempio: Il signor Rossi / il venerdì
           Il signor Rossi fa la spesa il venerdì.

1. .....   2. .....   3. .....   4. .....   5. .....

IV. Uses of *a, in, da, per*

A. *Luisa is asking Mariella about her activities. Re-create Mariella's answers, using the cue and following the example. Then repeat the response after the speaker.*

Esempio: Dove vai ora? (scuola) *Vado a scuola.*

1. .....   2. .....   3. .....   4. .....

B. *Bianca is asking her classmates about their preferences. Use the cue to re-create each answer. Then repeat after the speaker.*

Esempio: Preferisci vivere in Italia o in Francia? (Italia)
           Preferisco vivere in Italia.

1. .....   2. .....   3. .....   4. .....

C. *Say where the following people are going by using the cues and following the example. Repeat each response after the speaker.*

Esempio: Maria va da Liliana. (io / dottore) *Io vado dal dottore.*

1. .....   2. .....   3. .....   4. .....

V. Days of the week

Linda is a very methodical person and has a specific activity for each day of the week. Use the cue to amplify each sentence. Then repeat the response after the speaker.

Esempio: Va a cavallo. (lunedì) *Il lunedì va a cavallo.*

1. .....   2. .....   3. .....   4. .....   5. .....   6. .....

LISTENING COMPREHENSION

Listen carefully to the following passage; then answer the questions that follow. Repeat each response after the speaker.

1. .....   2. .....   3. .....   4. .....   5. .....

DICTATION

The speaker will read a short passage three times. First, listen carefully. The second time, write what you hear. The third time, check what you have written.

_____

_____

_____

_____

_____

_____

PART TWO: ESERCIZI SUPPLEMENTARI

I. Regular verbs ending in -*ere* and -*ire*: present tense

   A. *The following are some activities going on in a restaurant. Complete each sentence with the appropriate form of the verb in parentheses.*

     1. (servire) I camerieri _____ il pranzo.

     2. (prendere) Alcune signore _____ un gelato.

     3. (rispondere) La cassiera _____ al telefono.

4. (aprire)   Una signorina _____ l'elenco telefonico.

5. (offrire) Un cameriere _____ dell'acqua a dei bambini.

6. (leggere) Molte persone _____ il giornale.

B. *The following sentences are fragments of conversations that one might hear at a café frequented by students. Answer each question that follows with a logical sentence, as if you were in that café.*

Esempio: Io leggo il libro d'italiano. E voi?
          Noi leggiamo il libro di storia.

1. Stasera io vedo un film di Bertolucci. E voi?

_____

2. Lui segue tre corsi. E tu?

_____

3. Lo zio di Pietro vive a Nuova York. E gli zii di Carlo?

_____

4. Noi dormiamo otto ore. E lui?

_____

5. Noi riceviamo brutti voti. E loro?

_____

6. Lui vende la macchina. E tu?

_____

7. Io chiedo soldi a papà. E voi?

_____

8. Il padre di Marcello parte in aereo. E voi?

_____

9. Noi prendiamo un caffè. E tu?

_____

II. *-ire* verbs with the suffix *-isc-*

A. *Complete each sentence with the appropriate form of the verb.*

Esempio: Tu finisci presto. Anche lui *finisce presto.*

1. Io restituisco i libri. Anche loro _____.

2. Voi non capite bene. Anch'io non _____.

3. Tu costruisci una casa. Anche noi _____.

4. Noi finiamo il lavoro. Anche voi _____.

5. Maria pulisce la stanza. Anche loro _____.

6. I bambini ubbidiscono al padre. Anche tu _____.

B. *Show that there is disagreement between the people below by completing each sentence with the appropriate form of the verb.*

Esempio: Io dormo bene mentre lui _dorme_ male.

1. Lui serve vino rosso, mentre (*while*) voi _____ vino bianco.

2. Io preferisco il golf, mentre lei _____ il tennis.

3. Loro prendono un caffè, mentre tu _____ un aperitivo.

4. Tu leggi *Newsweek*, mentre loro _____ il *Wall Street Journal*.

5. Noi finiamo oggi, mentre lui _____ domani.

6. Loro credono a tutto, mentre lui non _____ a niente (*nothing*).

III. Irregular verbs ending in *-are*

A. *Complete each sentence using the appropriate form of* andare, dare, stare, *or* fare.

1. Noi _____ al mercato in bicicletta.

2. Tutte le mattine i ragazzi _____ la doccia.

3. Quando ha tempo. lei _____ in campagna.

4. _____ colazione la mattina, tu?

5. Loro _____ a teatro una volta alla settimana.

6. Bambini, perchè non _____ zitti?

7. Mamma, dove _____ a fare la spesa?

8. Io _____ per chiamare la centralinista.

9. Francesco _____ un libro a Gina.

B. *Complete the following paragraph with the appropriate form of the verbs in parentheses.*

Oggi è sabato. Io (fare) _____ la spesa, e poi

i bambini e io (fare) _____ una passeggiata a piedi in

città. Dino invece (stare) _____ a casa perchè non

(stare) _____ molto bene. Questa sera Dino e io

(andare) _____ da alcuni amici che (*who*) (dare)

_____ una festa. Questi amici (stare) _____

in via Garibaldi, non molto lontano. Noi (fare) _____

la doccia e dopo cena (dare) _____ un bacio (*kiss*)

ai bambini e, finalmente, (andare) _____ dagli amici.

C. *Answer the following questions by choosing one of the options provided. Begin each answer with the verb.*

Esempio: Fa o non fa colazione la mattina? *Faccio colazione.*

1. Fa molte o poche passeggiate Lei?

_____

2. Dà o non dà la mano quando vede amici?

_____

3. Fa domande o sta zitto/a in classe?

_____

4. Sta attento/a in classe o è spesso distratto/a?

_____

5. Preferisce dare un esame il venerdì o il lunedì?

_____

6. Sta per finire gli studi o ha altri corsi da seguire (*to take*)?

_____

7. Fa o non fa un viaggio presto (*soon*)?

_____

IV. Uses of <u>a</u>, <u>in</u>, <u>da</u>, <u>per</u>

A. *Complete the following paragraphs with the prepositions* <u>a</u>, <u>in</u>, *and* <u>da</u>, *and the definite article when necessary.*

1. Lisa Carter studia _____ Italia e vive _____ Bologna, con gli

   zii italiani. Tutte le mattine la zia di Lisa va _____ mercato

   _____ fare la spesa; parte sempre _____ piedi, ma ritorna

   spesso _____ autobus.

2. Il signor Verdi lavora ogni giorno _____ ufficio. Quando ritorna

   _____ casa, lavora per un'ora _____ giardino prima di cenare.

   Il sabato sera lui e la signora Verdi vanno _____ teatro o

   _____ cinema. La domenica, invece, vanno spesso _____ amici

   Storti, che (*who*) abitano _____ campagna.

B. *Write why the people below are doing certain things by using* <u>per</u> + *infinitive.*

Esempio: Studio perchè desidero imparare. *Studio per imparare.*

1. Lui sta attento perchè desidera capire tutto.

_____

2. Vendo la Fiat perchè desidero comprare una Ferrari.

_____

3. Vado all'università perchè desidero prendere una laurea in lingue.

_____

4. Ritorniamo a casa perchè desideriamo mangiare.

_____

C. *Answer the following questions by choosing one of the options provided.*
Begin each answer with Preferisco . . .

Preferisci . . .

1. vivere in città o in montagna?

_____

2. andare a scuola in macchina o in autobus?

_____

3. abitare in Florida o in California?

_____

4. correre in bicicletta o a piedi?

_____

5. nuotare in piscina o al mare (*sea*)?

_____

6. fare un viaggio a Roma o a Madrid?

_____

V. Days of the week

Complete each sentence by indicating the days of the week associated with
the following activities or holidays. Use the appropriate form of the
definite article when necessary.

1. Gli studenti americani non vanno a scuola _____

e _____.

2. Il giorno di *Thanksgiving* è sempre l'ultimo (*last*) _____

di novembre.

3. Quest'anno il giorno di Natale (*Christmas*) arriva di (*on*)

_____.

4. La settimana di uno studente incomincia _____ e

   finisce _____.

5. Molti Italiani vanno in chiesa _____.

COMPOSIZIONE SCRITTA

Elencate (*list*) alcune vostre attività durante i vari giorni della settimana.

7

PART ONE: LABORATORIO

DIALOGUE

Listen to the dialogue as you read along.

Una foto di famiglia

Bianca visita per la prima volta la stanza di Ornella, un'amica.

Ornella Che fai, Bianca?

Bianca Guardo la fotografia sullo scaffale. È la tua famiglia?

Ornella Sì. È un bel gruppo, vero?

Bianca Molto. Hai dei genitori molto giovani. Ma quanti figli ci sono nella tua famiglia? Vedo cinque ragazzi; sono i tuoi fratelli?

Ornella *Per carità,* non tutti! I due vicino all'automobile sono i miei cugini di Torino. *Vengono* spesso a passare il week-end da noi.

Bianca *Allora,* il bel giovanotto sui vent'anni è tuo fratello?

Ornella Oh, no! *Quello* è lo zio Giacomo, il fratello *minore* di mia madre. Ha venticinque anni e fa l'ultimo anno di medicina all'università di Bologna. Simpatico, no? Ed è anche scapolo, se *per caso...*

Bianca Per piacere, Ornella. *Lo sai* bene che ho *già* un ragazzo.

Questions

Listen to each statement about the dialog. Circle È vero if the statement is true, and Non è vero if it is false.

1. È vero.   Non è vero.   3. È vero.   Non è vero.

2. È vero.   Non è vero.   4. È vero.   Non è vero.

I. Possessive adjectives

A. *Listen to the model sentence. Then form a new sentence by substituting the cue. Repeat each response after the speaker.*

Esempio: Dov'è il mio libro? (tuo) *Dov'è il tuo libro?*

1. .....   2. .....   3. .....   4. .....   5. .....

B. *Restate each sentence using the verb <u>essere</u> and the appropriate possessive adjective. Then repeat the response after the speaker.*

Esempio: Io ho un amico simpatico. *Il mio amico è simpatico.*

1. .....   2. .....   3. .....   4. .....   5. .....

C. *Change each sentence to the plural. Then repeat after the speaker.*

Esempio: Ecco il mio professore. *Ecco i miei professori.*

1. .....   2. .....   3. .....   4. .....   5. .....

D. *Listen to the model sentence. Then form a new sentence by substituting the cue and making all necessary changes. Repeat each response after the speaker.*

Esempio: Franco ha bisogno del suo quaderno. (libro)
Franco ha bisogno del suo libro.

1. .....   2. .....   3. .....   4. .....   5. .....

E. *Listen to the model sentence. Then form a new sentence by substituting the cue and making all necessary changes. Repeat each response after the speaker.*

Esempio: Telefoni a tua madre? (sorella) *Telefoni a tua sorella?*

1. .....   2. .....   3. .....   4. .....   5. .....

F. *Listen to the model sentence. Then form a new sentence by substituting the cue and making all necessary changes. Repeat each response after the speaker.*

Esempio: Scrivi ai tuoi zii? (cugini) *Scrivi ai tuoi cugini?*

1. .....   2. .....   3. .....   4. .....   5. .....

G. *You and your roommate are going to a birthday party, and Franco wants to know whom and what you are going to bring. Answer him in the affirmative. Then repeat the response after the speaker.*

Esempio: Portate i vostri amici? *Sì, portiamo i nostri amici.*

1. .....   2. .....   3. .....   4. .....   5. .....

H. *Listen to the model sentence. Then form a new sentence by substituting the cue and making the necessary changes. Repeat the correct response after the speaker.*

   Esempio: Loro invitano i loro cugini. (fratello)
   Loro invitano il loro fratello.

   1. ..... 2. ..... 3. ..... 4. ..... 5. .....

I. *Listen to the model sentence. Then form a new sentence by substituting the cue and making the necessary changes. Repeat the correct response after the speaker.*

   Esempio: Scusi, signore, dov'è la Sua macchina? (moglie)
   Scusi, signore, dov'è Sua moglie?

   1. ..... 2. ..... 3. ..... 4. ..... 5. .....

II. Possessive pronouns

Answer each question using the possessive pronoun and the cue. Then repeat the response after the speaker.

Esempio: La mia penna è sul tavolo, e la tua? (sulla scrivania)
La mia è sulla scrivania.

1. ..... 2. ...,. 3. ..... 4. ..... 5. ..... 6. .....

III. Irregular verbs ending in -ere: present tense

Listen to the model sentence. Then form a new sentence by substituting the cued subject. Repeat each response after the speaker.

1. Esempio: Io devo finire il laboro. (tu) *Tu devi finire il lavoro.*

   ....

2. Esempio: Io non posso partire. (tu) *Tu non puoi partire.*

   ....

3. Esempio: Voglio sentire un concerto. (tu) *Tu vuoi sentire un concerto.*

   ....

IV. Irregular verbs ending in -*ire*: present tense

A. *Listen to the model sentence. Then form a new sentence by substituting the given subject. Repeat each response after the speaker.*

1. Esempio: Io dico delle cose interessanti. (tu)
   Tu dici delle cose interessanti.

....

2. Esempio: Io esco tutte le sere. (tu) *Tu esci tutte le sere.*

....

3. Esempio: Io vengo a vedere la casa. (tu) *Tu vieni a vedere la casa.*

....

V. *Sàpere* versus *conoscere*

A. *Listen to the model sentence. Then form a new sentence by substituting the given subject. Repeat each response after the speaker.*

Esempio: Io non so nuotare. (tu) *Tu non sai nuotare.*

1. ..... 2. ..... 3. ..... 4. .....

B. *Listen to the model sentence. Then form a new sentence by substituting the given subject. Repeat each response after the speaker.*

Esempio: Io conosco i parenti di Anna. (tu)
   Tu conosci i parenti di Anna.

1. ..... 2. ..... 3. ..... 4. .....

LISTENING COMPREHENSION

Listen to the following passage, then answer the questions that follow. Repeat each response after the speaker.

1. ..... 2. ..... 3. ..... 4. ..... 5. .....

DICTATION

The speaker will read a short passage three times. First, listen carefully. The second time, write what you hear. The third time, check what you have written.

_____

_____

_____

_____

_____

_____

PART TWO: ESERCIZI SUPPLEMENTARI

I. Possessive adjectives

   A. *Your roommate has cleaned your room. Ask him or her where your things
      are, using the appropriate form of the possessive adjective* il mio.

      Esempio: Dov'è _il mio_ libro?

      1. Dov'è _____ penna?

      2. Dove sono _____ appunti?

      3. Dov'è _____ quaderno d'italiano?

      4. Dove sono _____ lettere?

   B. *You are giving a party and are telling a friend whom the following people
      are bringing. Use a form of the possessive adjective* il suo.

      Esempio: Maria porta _la sua_ amica.

      1. Franco porta _____ amici.

      2. Gina porta _____ compagna di stanza.

      3. Leo porta _____ compagno di stanza.

      4. Teresa porta _____ sorelle.

C. *Complete each sentence with the correct form of the possessive adjective.*

Esempio: Io vendo (*my*) *la mia* macchina.

1. Noi facciamo (*our*) _____ compiti.

2. Luisa legge (*her*) _____ lettere.

3. Tu ripeti (*your*) _____ domanda.

4. Loro sentono (*their*) _____ dischi.

5. Franco studia (*his*) _____ lezioni.

6. Tu e Maria finite (*your*) _____ composizione.

7. Io vedo (*my*) _____ compagni di stanza.

8. Noi capiamo (*our*) _____ lezioni.

D. *Complete each sentence with the correct form of the possessive adjective, using the article when necessary.*

Esempio: Noi vediamo (*our*) *nostra* madre.

1. Io pulisco (*my*) _____ camera.

2. Tu vedi (*your*) _____ fratello.

3. Gino invita (*his*) _____ sorelle.

4. Vedi spesso (*your*) _____ zio?

5. Dove abitano (*his*) _____ fratelli?

6. Io porto al parco (*my*) _____ sorellina.

7. Io do (*my*) _____ esami domani.

8. Loro offrono (*their*) _____ casa.

9. Io vedo (*my*) _____ zia sabato.

E. *Complete each sentence with the appropriate form of the preposition + possessive adjective.*

Esempio: Io scrivo sempre (*to my*) *ai miei* amici.

1. Rispondi (*to your*) _____ genitori tu?

2. Loro scrivono (*to their*) _____ professoressa.

3. Noi telefoniamo (*to our*) _____ amici.

4. Voi date un regalo (*to your*) _____ nonni.

5. Io chiedo un favore (*to my*) _____ amico.

F. <u>A chi scrivono?</u> *Form a sentence stating to whom the following people are writing.*

Esempio: Paolo (amico) *Paolo scrive al suo amico.*

1. Pinuccia (zia) _____

2. il bambino (nonni) _____

3. il signor Bettini (moglie) _____

4. voi (professoressa) _____

5. io (parenti) _____

6. i nonni (tutti i nipoti) _____

II. Possessive pronouns

Answer each question using the appropriate possessive pronoun and substituting the word in parentheses. Follow the example.

Esempio: Mio padre lavora in una banca, e il tuo? (ufficio)
        Il mio lavora in un ufficio.

1. Mio fratello va all'università, e il tuo? (liceo)

_____

2. La mia macchina è vecchia, e la tua? (nuova)

_____

3. I miei professori sono simpatici, e i tuoi? (anche)

_____

4. Mia madre è casalinga, e la tua? (impiegata)

_____

5. Mio zio lavora in un ospedale, e il tuo? (scuola)

_____

III. Irregular verbs ending in -ere: present tense

   A. *Complete each sentence with the correct form of the verb in parentheses.*

   Esempio: (bere) Noi _beviamo_ alla tua salute.

   1. (volere) Dove _____ andare voi sabato sera?

   2. (bere) Che cosa _____ tu quando hai sete?

   3. (dovere) Io _____ scrivere una lettera a mia madre.

   4. (potere) Domani noi _____ fare una passeggiata.

   5. (potere) Io non _____ venire alla tua festa.

   6. (bere) Voi _____ troppo vino.

   7. (dovere) Che cosa _____ fare voi per domani?

   8. (volere) Tu _____ uscire con me sabato sera?

   9. (potere) Loro non _____ studiare oggi.

   10. (dovere) Noi _____ fare un viaggio in Italia.

   B. *Rewrite each sentence using the verb in parentheses. Follow the example.*

   Esempio: (dovere) Esco con Carlo stasera. *Devo uscire con Carlo stasera.*

   1. (volere) Mio padre conosce il mio amico.

   _____

   2. (potere) I miei suoceri non vengono alla festa.

   _____

   3. (dovere) Lucia va in biblioteca.

   _____

   4. (volere) Signora, beve tè o caffè?

   _____

   5. (potere) Voi non capite.

   _____

   6. (dovere) Che cosa fate stasera?

   _____

C. *Answer each question using the appropriate form of* dovere *plus the words in parentheses.*

Esempio: Perchè Gino non può partire? (dare un esame)
Perchè deve dare un esame.

1. Perchè tu non puoi fare un viaggio? (comprare una casa)

_____

2. Perchè voi non potete studiare il tedesco? (studiare l'italiano)

_____

3. Perchè non possiamo andare in Italia? (finire gli studi)

_____

4. Perchè non posso dormire tutto il giorno? (lavorare in casa)

_____

5. Perchè tuo zio non può venire? (andare dal dottore)

_____

IV. Irregular verbs ending in *-ire*: present tense

A. *Complete each sentence with the correct form of the verb in parentheses.*

Esempio: (dire) Franco *dice* a Maria di partire.

1. (venire) Questa sera alcuni miei parenti _____ alla festa.

2. (uscire) Marta _____ a fare la spesa.

3. (dire) Che cosa _____ noi quando incontriamo un amico?

4. (venire) Mio padre _____ da Palermo.

5. (uscire) Tutte le domeniche noi _____ per andare al ristorante.

6. (venire) Noi _____ all'università in macchina.

7. (dire) Che cosa _____ voi quando un amico parte?

8. (uscire) Oggi io non _____ perchè fa freddo.

B. Da dove vengono? *Complete each sentence with* dire *and* venire, *as in the example.*

Esempio: Pino *dice* che Marta *viene* da Palermo.

1. Mio padre _____ che i suoi genitori _____ da Roma.

2. I miei cugini _____ che il loro padre _____ da Pisa.

3. Tu _____ che i nostri nonni _____ dalla campagna?

4. Voi _____ che io _____ dalla luna?

V. *Sapere* versus *conoscere*

Complete each sentence with the correct form of sapere *or* conoscere.

1. Tu _____ Marcello Scotti?

2. Noi _____ Roma molto bene.

3. Lo zio Baldo _____ raccontare storie divertenti.

4. Signora Lisi, Lei _____ mia madre?

5. Voi _____ bene che io sono stanco.

6. I miei genitori non _____ ascoltare i miei problemi.

7. Noi non _____ quando ritorna nostro padre.

8. Carlo _____ la *Divina Commedia*.

9. John non _____ parlare italiano.

COMPOSIZIONE SCRITTA

Descrivete la vostra famiglia o una famiglia immaginaria.

8

PART ONE: LABORATORIO

DIALOGUE

Listen to the dialogue as you read along.

Alla stazione

La famiglia Betti, padre, madre e un ragazzo, sono alla stazione Centrale di Milano. I Betti vanno a Rapallo per il week-end. La stazione è *affollata*.

Sig.a Betti	Rodolfo, hai i biglietti, vero?
Sig. Betti	Sì, ho i biglietti, ma *non ho fatto* le prenotazioni.
Sig.a Betti	Oggi è venerdì. Ci sono molti viaggiatori. Perchè *non hai comprato* i biglietti di prima classe?
Sig. Betti	Perchè c'è una *bella* differenza di prezzo tra la prima e la seconda classe. E poi, non è un viaggio lungo.
Sig.a Betti	Ma l'impiegato dell'agenzia di viaggi *ha detto* che il venerdì i treni sono molto affollati.
Sig. Betti	Sì, è vero, ma uno o due posti ci sono sempre.
Sig.a Betti	Sì, ma io non voglio viaggiare in uno *scompartimento* per fumatori...
Pippo	Mamma, *hai messo* la mia racchetta da tennis nella valigia?
Sig.a Betti	Sì, e anche il tuo libro di storia.
Pippo	Papà, il treno per Rapallo *è arrivato* sul binario 6.
Sig. Betti	Presto, andiamo!

Questions

Listen to each statement about the dialogue. Circle Ė vero *if the statement is true, and* Non è vero *if it is false.*

1. Ė vero.   Non è vero.   3. Ė vero.   Non è vero.

2. Ė vero.   Non è vero.   4. Ė vero.   Non è vero.

I. The *passato prossimo* with *avere*

A. *Listen to the model sentence. Then form a new sentence by substituting the given verb form. Repeat each response after the speaker.*

Esempio: Ho visitato molte città. (Tu hai visitato)
Tu hai visitato molte città.

1. ..... 2. ..... 3. ..... 4. .....

B. *Listen to the model sentence. Then form a new sentence by substituting the given subject and making all necessary changes. Repeat the response after the speaker.*

1. Esempio: Jane ha veduto il Colosseo. (tu) *Tu hai veduto il Colosseo.*

....

2. Esempio: Noi non abbiamo dormito bene. (tu) *Non hai dormito bene.*

....

C. *Restate each sentence by changing the verb from the present to the* passato prossimo. *Then repeat the response after the speaker.*

Esempio: Telefono a mio padre. *Ho telefonato a mio padre.*

1. ..... 2. ..... 3. ..... 4. ..... 5. ..... 6. .....

D. *Mrs. Betti and her family are going to Rapallo for a vacation. She is asking her husband whether he has done the following things. Use the cue to form each answer. Then repeat the response after the speaker.*

Esempio: Hai letto l'orario? (sì) *Sì, ho letto l'orario.*

1. ..... 2. ..... 3. ..... 4. ..... 5. ..... 6. .....

II. The *passato prossimo* with *essere*

A. *Listen to the model sentence. Then form a new sentence by substituting the given verb form. Repeat the response after the speaker.*

Esempio: Io sono andato a Roma. (tu sei andato) *Tu sei andato a Roma.*

1. ..... 2. ..... 3. ..... 4. .....

B. *Listen to the model sentence. Then form a new sentence by substituting the given subject and making any necessary changes. Repeat each response after the speaker.*

Esempio: Quando è partita Lisa? (Marco) *Quando è partito Marco?*

1. ..... 2. ..... 3. ..... 4. ..... 5. ..... 6. .....

74

B. *Marco is inquiring about what Gianna and Lucio did yesterday. Use the cue and follow the example to re-create Gianna's answers. Then repeat the response after the speaker.*

Esempio: Sei stata a casa ieri? (No) *No, non sono stata a casa ieri.*

1. ..... 2. ..... 3. ..... 4. ..... 5. ..... 6. .....

III. Expressions of time (past)

You are asking your friends what they might want to do. They say that they have already done these things and when. Use the cue provided to re-create each answer. Then repeat the response after the speaker.

Esempio: Volete andare al cinema? (No / ieri sera)
    No, siamo andati al cinema ieri sera.

1. ..... 2. ..... 3. ..... 4. ..... 5. .....

IV. *Da quanto tempo?, da quando?*

A. *Liliana is aking you how long you have been doing different things. Use the cue to re-create each answer. Then repeat the response after the speaker.*

Esempio: Da quanto tempo fai medicina? (un anno)
    Faccio medicina da un anno.

1. ..... 2. ..... 3. ..... 4. .....

B. *Antonio is asking some friends since when they have been doing different things. Use the cue to re-create each answer. Then repeat the response after the speaker.*

Esempio: Da quando siete qui? (stamattina) *Siamo qui da stamattina.*

1. ..... 2. ..... 3. ..... 4. .....

V. Adverbs

A. *Give the corresponding adverb of each adjective. Then repeat the response after the speaker.*

Esempio: (fortunato) *fortunatamente*

1. ..... 2. ..... 3. ..... 4. ..... 5. ..... 6. .....

7. ..... 8. ..... 9. ..... 10. .....

B. *Patrizia is talking about herself to some friends. Use the given adverbs to complete each statement. Be sure to use the adverb in the right place.*

Esempio: Ho pensato a un viaggio in aereo. (sempre)
Ho sempre pensato a un viaggio in aereo.

1. .....   2. .....   3. .....   4. .....   5. .....

LISTENING COMPREHENSION

Listen to the following passage, then answer the questions that follow. Repeat each response after the speaker.

1. .....   2. .....   3. .....   4. .....   5. .....

DICTATION

The speaker will read a short passage three times. First, listen carefully. The second time, write what you hear. The third time, check what you have written.

_____

_____

_____

_____

_____

_____

_____

_____

PART TWO: ESERCIZI SUPPLEMENTARI

I. The *passato prossimo* with *avere*

   A. *Some students are talking about what happened or what they did today. Complete each sentence with the appropriate form of the *passato prossimo* of the verb in parentheses.*

    1. (ricevere) Io _____ un bel voto in italiano.

    2. (finire) Paolo, _____ di studiare psicologia?

3. (dare) E voi, _____ l'esame di matematica?

4. (capire) Loro non _____ bene la spiegazione del professore.

5. (rispondere) Io non _____ a tutte le domande.

6. (dire) Che cosa _____ la professoressa?

7. (fare) _____ _____ colazione tu, stamattina?

8. (studiare) Noi _____ cento pagine di storia.

9. (scrivere) Quante pagine _____ tu?

B. *The Bettis are on their way to Rapallo, and Mrs. Betti is worried about many things. Express this in questions using the* passato prossimo, *as in the example.*

Esempio: (chiudere / porta) *Hai chiuso la porta?*

1. perdere / scontrino / bagagli

_____

2. dove / mettere / valigia

_____

3. comprare / biglietto / andata e ritorno

_____

4. mostrare / biglietti / controllore

_____

II. The *passato prossimo* with *essere*

A. *Ask questions based on the following statements. The underlined words are the answers to the questions.*

Esempio: Il treno è partito dal binario 2.
          Da quale binario è partito il treno?

1. I miei nonni sono nati a Siena.

_____

2. La ragazza è diventata alta.

_____

3. L'aereo è partito da Chicago.

_____

4. La signorina è salita sull'aereo.

_____

5. Sua moglie è morta l'anno scorso.

_____

6. Sono ritornati per vedere il loro padre.

_____

7. Il bambino è disceso rapidamente.

_____

B. *Complete each sentence with the* passato prossimo.

1. Mina va sempre a scuola in macchina, ma ieri _____

   in autobus.

2. Lucia, sei sempre molto gentile, ma ieri non _____

   con i tuoi amici.

3. Di solito non usciamo la sera, ma ieri sera _____.

4. Gli zii vengono tutte le domeniche a casa nostra, ma domenica scorsa

   non _____.

5. Suo marito ritorna a casa presto, ma venerdì sera

   _____ tardi.

C. *Complete the paragraph in the* passato prossimo.

   Jane (comprare) _____ un biglietto dell'Alitalia

e (partire) _____ da Nuova York, piena d'entusiasmo.

In aereo (leggere) _____ alcune riviste (*magazines*),

(vedere) _____ un vecchio film, (mangiare)

_____ lasagne, (bere) _____

spumante Asti. (Fare) _____ anche conversazione in

italiano con dei passeggeri di Roma e (ridere) _____

di gusto. Poi (cercare) _____ di dormire, ma non

(potere) _____. Il viaggio (essere)

_____ lungo e Jane (arrivare) _____

all'aeroporto di Fiumicino stanca, ma felice. Quando (discendere)

_____ dall'aereo, (prendere) _____

la sua valigia, (chiamare) _____ un tassì e (andare)

_____ all'albergo in Via Veneto.

III. Expressions of time (past)

Answer each question using the expression of time in parentheses.

Esempio: Quando hai visitato Capri? (*last year*)
      Ho visitato Capri l'anno scorso.

1. Quando sei uscito(a)? (*last night*)

_____

2. Quando hai visto i tuoi parenti? (*last week*)

_____

3. Quando hai letto la *Divina Commedia*? (*three years ago*)

_____

4. Quando sei andato(a) all'opera? (*last Friday*)

_____

5. Quando hai comprato la macchina? (*two weeks ago*)

_____

6. Quando hai conosciuto mia sorella? (*yesterday*)

_____

IV. *Da quanto tempo?*, *da quando?*

Write the question that would elicit each answer, using da quanto tempo *or* da quando, *accordingly.*

Esempio: Sono a Bologna dal mese scorso. *Da quando sei a Bologna?*

1. Sono sposato da una settimana.

_____

2. Lavoro dal mese di ottobre.

_____

3. Nino suona la chitarra da anni.

_____

4. Conosco Marisa da diversi mesi.

_____

5. Viviamo in Via Garibaldi dall'anno scorso.

_____

6. Gianna e Paolo escono insieme da un mese.

_____

7. I nonni abitano in Riviera da molto tempo.

_____

V. Adverbs

A. *Answer each question substituting the appropriate adverb for the adjective in parentheses.*

Esempio: Come cammina il turista? (rapido) *Cammina rapidamente.*

1. Come canta Pavarotti? (meraviglioso) _____

2. Come spiega il professore? (paziente) _____

3. Come dormono i bambini? (tranquillo) _____

4. Come giocano i ragazzi? (libero) _____

5. Come ascoltano gli studenti? (stanco) _____

6. Come risponde la signorina? (gentile) _____

7. Come funziona il motore? (regolare) _____

B. *Complete each sentence with the appropriate form of the adjective or its corresponding adverb.*

Esempi: Lui parla _seriamente_ . (seriamente)
La situazione è _seria_ . (serio)

1. La conferenza è stata _____. (interessante)

2. Ho capito _____. (perfetto)

3. La nostra partenza è molto _____. (probabile)

4. È stato un viaggio _____. (speciale)

5. Abbiamo visitato _____ le colline toscane. (speciale)

6. Viviamo una vita _____. (semplice)

7. Da anni viviamo _____. (semplice)

8. La Maserati è una macchina _____. (veloce)

9. La macchina corre _____. (veloce)

C. *Answer each question, choosing one of the adverbs in parentheses.*

Esempio: Ha visitato Bologna? (mai, qualche volta)
Non ho mai visitato Bologna.

1. Quando è uscito(a) di casa stamattina? (presto, tardi)

_____

2. Quando parte dall'università? (adesso, dopo)

_____

3. Quante volte ha fatto lunghi viaggi? (spesso, raramente)

_____

4. Ha viaggiato in treno? (mai, qualche volta)

_____

5. Va a scuola in macchina?   (sempre, mai, alcune volte)

_____

6. È andato(a) all'estero?   (spesso, una volta, mai)

_____

7. È stato(a) in Italia?   (già, non ancora)

_____

COMPOSIZIONE SCRITTA

Descrivete le attività del weekend scorso. Siete usciti? Con chi? Come?
Dove siete andati? Che cosa o chi avete visto? Che cosa avete fatto? Siete
rientrati a casa presto o tardi?

9

PART ONE: LABORATORIO

DIALOGUE

Listen to the dialogue as you read along.

Alla banca

Mr. White è entrato in una banca italiana.

Mr. White	Scusi, signorina, a che sportello posso cambiare dei travelers' cheques?
Signorina	*Là,* allo sportello numero cinque.
Mr. White	Mille grazie. (Dopo alcuni minuti, allo sportello del cambio.)
Impiegato	Il signore desidera?
Mr. White	Scusi, il cambio del dollaro è ancora come ieri?
Impiegato	No, è salito di venti lire. Questa è una settimana particolarmente fortunata per il dollaro.
Mr. White	Bene, bene. Quest'anno i turisti americani sono fortunati... *Vorrei* cambiare un travelers' cheque di mille dollari.
Impiegato	Ha un documento d'identità, per favore?
Mr. White	Un momento... , dove ho messo il passaporto? Ah, ecco!
Impiegato	Che sorpresa! Io mi chiamo come Lei, Bianchi. Signor White, ecco la ricevuta. *Si accomodi* alla cassa.
Mr. White	Quante lire sono? Un milione e... Com'è facile essere milionari in Italia!

Questions

Listen to each statement about the dialogue. Circle È vero *if the statement is true, and* Non è vero *if it is false.*

1. È vero.   Non è vero.   3. È vero.   Non è vero.

2. È vero.   Non è vero.   4. È vero.   Non è vero.

I. Reflexive verbs

A. *Listen to the model sentence. Then form a new sentence by substituting the given subject. Repeat each response after the speaker.*

Esempio: Io mi alzo presto. (tu) *Tu ti alzi presto.*

1. .....   2. .....   3. .....   4. .....   5. .....

B. *A friend is asking if you and your roommate do the following things. Answer in the affirmative. Then repeat the response after the speaker.*

Esempio: Vi divertite alle feste? *Sì, ci divertiamo alle feste.*

1. .....   2. .....   3. .....   4. .....   5. .....

C. *Ask the questions that would elicit each of the following answers. Then repeat after the speaker.*

Esempio: Io non mi diverto al cinema. *Ti diverti tu al cinema?*

1. .....   2. .....   3. .....   4. .....

D. *Answer the following questions, beginning each statement with* <u>Desidero ...</u> *Then repeat the response after the speaker.*

Esempio: Ti alzi presto la mattina? *Desidero alzarmi presto.*

1. .....   2. .....   3. .....   4. .....

II. Reciprocal verbs

A. *Answer each question affirmatively, using the reciprocal construction. Repeat each response after the speaker.*

Esempio: Vi telefonate tu e Pietro? *Sì, ci telefoniamo.*

1. .....   2. .....   3. .....   4. .....   5. .....

B. *Form a complete sentence using the indicated cues. Repeat each response after the speaker.*

Esempio: Pietro e Maria / telefonarsi *Pietro e Maria si telefonano.*

1. .....   2. .....   3. .....   4. .....   5. .....

III. The _passato prossimo_ with reflexive and reciprocal verbs

A. *Listen to the model sentence. Then form a new sentence by substituting the given subject. Repeat each response after the speaker.*

Esempio: Io mi sono divertito ieri sera. (Franca)
    Franca si è divertita ieri sera.

1. .....   2. .....   3. .....   4. .....   5. .....   6. .....

B. *Gina is asking if you and Pietro did the following things. Answer in the negative. Then repeat each response after the speaker.*

Esempio: Vi siete riposati ieri? *No, non ci siamo riposati.*

1. .....   2. .....   3. .....   4. .....

C. *Form a complete sentence using the cues and the reciprocal construction in the past tense. Then repeat each response after the speaker.*

Esempio: Carlo e Teresa / scriversi *Carlo e Teresa si sono scritti.*

1. .....   2. .....   3. .....   4. .....   5. .....

IV. Cardinal numbers above 100

A. *Listen to each cardinal number and repeat after the speaker.*

100	1.000	2.000
125	1.100	100.000
200	1.984	1.000.000
350		

B. *Ask the operator for the following telephone numbers. Give each number in groups of three digits. Then repeat the numbers after the speaker.*

432–850	352–726
301–824	420–951

V. Time

A. *Carlo's watch is an hour slow. Tell him the correct time, following the example. Then repeat the response after the speaker.*

Esempio: Sono le due. *No, sono le tre.*

1. .....   2. .....   3. .....   4. .....   5. .....

B. *Read each of the following times, then repeat after the speaker.*

   Esempio: (6:15) *Sono le sei e un quarto.*

4:20	12:00
2:30	3:15

C. *Your future roommate wants to be sure that you and he will be compatible roommates. Answer using the cue and following the example. Then repeat the response after the speaker.*

   Esempio: A che ora ti lavi? / otto   *Mi lavo alle 8:00.*

   1. .....   2. .....   3. .....   4. .....

LISTENING COMPREHENSION

Listen to the passage, then answer the questions that follow. Repeat each response after the speaker.

   1. .....   2. .....   3. .....   4. .....   5. .....

DICTATION

The speaker will read a short passage three times. First, listen carefully. The second time, write what you hear. The third time, check what you have written.

_____

_____

_____

_____

_____

_____

PART TWO: ESERCIZI SUPPLEMENTARI

I. Reflexive verbs

A. *Give the present tense of the reflexive verb according to each subject in parentheses.*

Io mi diverto al cinema. (tu, Gina, noi, tu e Luigi, loro)

_____

_____

B. *Your brother is moving into an apartment with your friend, who is asking questions about his habits. Answer each question according to the example.*

Esempio: Io mi alzo presto, e lui? *Anche lui si alza presto.*

1. Io mi diverto la sera, e lui?

_____

2. Io mi preparo la colazione, e lui?

_____

3. Io mi lavo in venti minuti, e lui?

_____

4. Io mi addormento alle dieci, e lui?

_____

C. *Answer each question as in the example.*

Esempio: Vi svegliate presto? *Sì, ci svegliamo presto.*

1. Vi lavate rapidamente?

_____

2. Vi arrabbiate raramente?

_____

3. Vi divertite al cinema?

_____

4. Vi addormentate presto?

_____

D. *Complete each sentence with the correct form of the reflexive verb in parentheses.*

Esempio: (divertirsi) Noi _ci divertiamo_ tutte le sere.

1. (alzarsi) I miei genitori _____ tardi.

2. (addormentarsi) _____ presto, tu?

3. (innamorarsi) Io _____ in primavera.

4. (sposarsi) Renzo e Lucia _____ domani.

5. (fermarsi) Perchè non _____, tu?

6. (arrabbiarsi) Il professore non _____ mai.

7. (svegliarsi) Mia madre _____ tardi.

8. (vestirsi) _____ rapidamente, tu?

E. *A friend is asking you about some people you both know. Begin each answer with* Sperano . . .

Esempio: Si divertono i tuoi amici? *Sperano di divertirsi.*

1. Si sposano i tuoi cugini?

_____

2. Si fermano a Roma i tuoi zii?

_____

3. Si preparano per la partenza i tuoi amici?

_____

4. Si fidanzano Pino e Lia?

_____

II. Reciprocal verbs

A. *Answer each question in the affirmative, using the reciprocal construction.*

Esempio: Tu e Pietro vi vedete? *Sì, ci vediamo.*

1. Tu e i tuoi cugini vi scrivete? _____

2. Tu e il tuo avvocato vi telefonate? _____

3. Tu e i tuoi amici vi incontrate? _____

4. Tu e i tuoi nonni vi parlate? _____

B. *Form a sentence using the elements given.*

Esempio: Carlo e Anna / amarsi   *Carlo e Anna si amano.*

1. le due amiche / salutarsi

_____

2. i due fidanzati / baciarsi

_____

3. io e il mio professore / scriversi

_____

4. tu e tua madre / telefonarsi

_____

5. i miei amici ed io / parlarsi

_____

III. The *passato prossimo* with reflexive and reciprocal verbs

A. *Change each sentence to the* passato prossimo.

Esempio: Gina si alza presto. *Gina si è alzata presto.*

1. Giovanna si diverte al cinema.

_____

2. Noi ci svegliamo presto.

_____

3. Teresa e Lucia si annoiano.

_____

4. Tu ti arrabbi.

_____

5. Io mi riposo.

_____

6. Tu e il tuo amico vi vestite bene.

_____

B. *A friend calls and asks if you did the following things. Answer using the reciprocal construction in the* passato prossimo.

Esempio: Hai telefonato a tuo padre? *Sì, ci siamo telefonati.*

1. Hai veduto la tua ragazza?

_____

2. Hai incontrato il professore?

_____

3. Hai scritto a tuo cugino?

_____

4. Hai parlato a tua madre?

_____

IV. Cardinal numbers above 100

A. Quanto fa? *Do the following operations.*

Esempio: Quanto fa 120 + (più) 30 ? *Fa centocinquanta.*

1. 348 + (più) 2

_____

2. 860 − (meno) 200

_____

3. 2,000 : (diviso) 4

_____

4. 30 X (per) 6

_____

B. <u>Quanto costa?</u> *Mirella wants to buy a present for her boyfriend, and is asking you how much each item costs.*

Esempio: Quanto costa una motocicletta? (500 dollari)
              Costa cinquecento dollari.

1. una chitarra elettrica? (360 dollari)

_____

2. una bicicletta? (255 dollari)

_____

3. un orologio? (100 dollari)

_____

4. un viaggio in Italia (2,000 dollari)

_____

V. Time

A. <u>Che ore sono?</u> *Write out the following times.*

Esempio: (6:20) *Sono le sei e venti.*

1. (4:15) _____

2. (1:00) _____

3. (12:00) _____

4. (2:30) _____

5. (7:55) _____

B. <u>A che ora?</u> *Your parents are asking questions about a friend who is going to visit for a few days.*

Esempio: A che ora si sveglia Giuseppe? (7:00) *Si sveglia alla sette.*

1. A che ora fa colazione? (8:45)

____ _____

2. A che ora esce? (9:15)

_____

3. A che ora ritorna per il pranzo? (12:00)

_____

4. A che ora si addormenta la sera? (1:00)

_____

COMPOSIZIONE SCRITTA

Descrivete una giornata tipica nella vostra vita, usando molti verbi
riflessivi.

10

PART ONE: LABORATORIO

DIALOGUE

Listen to the dialogue as you read along.

Che vestiti portiamo?

Terry e Jane *fanno le valigie* perchè vanno a studiare a Firenze.

Terry   *Hai deciso* che cosa mettere nella valigia?
Jane   Non molta *roba*. Detesto viaggiare con valigie *pesanti*.
Terry   Io porto un impermeabile perchè ho sentito che a Firenze *piove* spesso in primavera.
Jane   E io porto un due pezzi di lana per la sera, quando *fa fresco*.
Terry   Porti anche dei vestiti eleganti?
Jane   Uno solo, per qualche occasione importante.
Terry   Quale?
Jane   *Questo* vestito bianco e *quelle* due camicette di seta.
Terry   Allora dobbiamo portare anche un paio di scarpe con i *tacchi alti*.
Jane   Sì, ma abbiamo bisogno soprattutto di scarpe comode. Nelle città italiane *si gira* a piedi o in tram e non in macchina.
Terry   Io penso di comprare alcuni vestiti eleganti e degli stivali in Italia.
Jane   Anch'io. Speriamo di avere abbastanza soldi per tornare a casa.

Questions

Listen to each statement about the dialogue. Circle È vero *if the statement is true, and* Non è vero *if it is false.*

1. È vero.   Non è vero.   3. È vero.   Non è vero.

2. È vero.   Non è vero.   4. È vero.   Non è vero.

I. Demonstrative adjectives

A. *Imagine that you are working in a fashionable Italian boutique. Advertise your products, using the cue and following the example. Then repeat the response after the speaker.*

Esempio: Questo vestito è elegante. (borsetta)
Questa borsetta è elegante.

1. .....   2. .....   3. .....   4. .....   5. .....

B. *Luisa is shopping in the clothing section of an Italian department store and is pointing out the items she wants to buy. Use the cue and follow the example to formulate her statements. Repeat each response after the speaker.*

Esempio: Desidero quel maglione. (ombrello) *Desidero quell'ombrello.*

1. .....   2. .....   3. .....   4. .....   5. .....   6. .....

C. *Answer each question using the appropriate form of* quello. *Then repeat the response after the speaker.*

Esempio: Hai comprato queste scarpe?   *No, ho comprato quelle scarpe.*

1. .....   2. .....   3. .....   4. .....   5. .....   6. .....

II. Demonstrative pronouns

A. *Imagine that you have more money than usual and are buying things in pairs. Point out each time to the salesperson, using the cue to state your choice. Then repeat the response after the speaker.*

Esempio: Compro questi guanti e quelli. (cravatta)
Compro questa cravatta e quella.

1. .....   2. .....   3. .....   4. .....   5. .....

B. *Some friends are asking about the ownership of the following items. Use the cue to formulate each answer. Then repeat the response after the speaker.*

Esempio: Di chi è questa macchina? (Renzo) *È quella di Renzo.*

1. .....   2. .....   3. .....   4. .....   5. .....

III. Verbs + infinitive

A. *Listen to the model sentence. Then form a new sentence by substituting the given verb form. Repeat each response after the speaker.*

Esempio: Luisa sa vestirsi elegantemente. (deve)
             Luisa deve vestirsi elegantemente.

1. .....   2. .....   3. .....   4. .....

B. *Restate each sentence by changing the verb from the present to the* <u>passato prossimo</u>. *Then repeat the response after the speaker.*

Esempio: Che cosa impari a fare? *Che cosa hai imparato a fare?*

1. .....   2. .....   3. .....   4. .....   5. .....   6. .....

IV. Ordinal numbers

A. *Repeat each phrase after the speaker.*

....

....

B. *Give the ordinal number that corresponds to the cardinal number. Then repeat the response.*

Esempio: (undici) *undicesimo*

....

C. *Repeat the following names and centuries after the speaker.*

1. Papa Giovanni XXIII   Vittorio Emanuele III   Luigi XVI

2. il secolo XVI   il secolo XVIII   il secolo XX

V. The months and the date

A. *Repeat after the speaker.*

I mesi dell'anno: ....

....

B. *Sergio is always mistaken about his friends' birthdays. Every time*
he asks about one, he believes it to be a month earlier. Following
the example, formulate the right answer to each of his questions.
Then repeat the response after the speaker.

Esempio: È in agosto il compleanno di Marisa? *No, è in settembre.*

1. .....   2. .....   3. .....   4. .....

C. *Repeat the following dates after the speaker.*

1. nel 1870   nel 1945
   nel 1918   nel 1492
   nel 1984

2. il 25 luglio 1943
   il 22 febbraio 1732
   il 14 luglio 1789

3. il 25/12
   il 1/11
   il 14/2

VI. The seasons and the weather

A. *Repeat after the speaker.*

Le stagioni: ....

B. *Form a new sentence by substituting the cue. Then repeat the response*
after the speaker.

Esempio: Questa mattina fa bello. (fa brutto) *Questa mattina fa brutto.*

1. .....   2. .....   3. .....   4. .....   5. .....   6. .....

C. *Some friends have just returned from a long trip abroad and are asking*
what the weather was like during their absence. Use the cue to formulate
each answer. Then repeat the response after the speaker.

Esempio: Ha fatto bello ieri qui? (sì) *Sì, ha fatto bello.*

1. .....   2. .....   3. .....   4. .....   5. .....   6. .....

LISTENING COMPREHENSION

Listen to the following passage, then answer the questions that follow.

1. .....   2. .....   3. .....   4. .....   5. .....

96

DICTATION

The speaker will read a short passage three times. First, listen carefully. The second time, write what you hear. The third time, check what you have written.

_____

_____

_____

_____

_____

_____

PART TWO: ESERCIZI SUPPLEMENTARI

I. Demonstrative adjectives

A. *You are going shopping with a friend to buy him a gift. Ask him which item he prefers by using the elements given and the appropriate form of* questo *and* quello. *Follow the example.*

Esempio: (completo grigio / giacca blu)
           Preferisci questo completo grigio o quella giacca blu?

1. maglione di lana / cravatta di seta

_____

2. portafoglio di pelle / dischi di Pavarotti

_____

3. radio (*f.*) giapponese / calcolatrice elettronica

_____

4. macchina fotografica / televisore americano

_____

B. *Answer each question using the appropriate form of the adjective* quello.

Esempio: Quale vestito hai ammirato? *Ho ammirato quel vestito.*

1. Quali stivali hai provato?

_____

2. Quale completo ti sei messo(a) ieri?

_____

3. In quale macchina sei venuto(a)?

_____

4. Quali impiegati hai salutato?

_____

5. A quale commessa hai parlato?

_____

6. Quali begli anni hai ricordato?

_____

II. Demonstrative pronouns

A. *Complete each statement with a sentence of opposite meaning, using the appropriate form of the pronoun* quello.

Esempio: Questo dizionario è nuovo; *quello è vecchio.*

1. Questa ragazza è fortunata; _____

2. Quest'uomo è grasso; _____

3. Quest'appartamento è lussuoso; _____

4. Queste gonne sono corte; _____

5. Questa storia è complicata; _____

6. Questi calzini vanno perfettamente; _____

_____.

B. *Indicate your choice in each of the following situations by substituting the appropriate form of the pronoun* quello *for the noun. Answer in a complete sentence.*

1. È la notte di San Silvestro (*New Year's Eve*) e Lei vuole divertirsi: preferisce uscire con amici tristi o con amici allegri (*cheerful*)?

   _____

2. Fa freddo e Lei ha solamente due vestiti, uno leggero e l'altro pesante: quale preferisce mettersi?

   _____

3. È impiegato(a) e ha la possibilità di scegliere (*choose*) fra un capoufficio molto nervoso e un altro calmo e paziente: quale preferisce scegliere?

   _____

III. Verbs + infinitive

A. *Complete each sentence with the appropriate preposition (*a, di, per*) when necessary.*

1. Che cosa sai _____ fare?

2. Siamo andati _____ cenare a una pizzeria.

3. Penso _____ svegliarmi presto.

4. In autunno non finisce mai _____ piovere.

5. Pierino continua _____ giocare e non vuole _____ rientrare in casa.

6. Ho finito _____ lavorare e ora posso _____ riposare.

7. Sta _____ nevicare.

8. Ho dimenticato _____ prendere l'ombrello.

9. Spero _____ andare _____ studiare in Italia.

10. Studiamo _____ imparare.

B. *Answer each question in a complete sentence.*

1. A che ora è andato(a) a dormire ieri sera?

_____

2. Che cosa ha dimenticato di fare il weekend scorso?

_____

3. Quando spera di finire i Suoi studi?

_____

4. Che cosa detesta fare?

_____

5. A che ora ha finito di cenare ieri sera?

_____   _____

6. Perchè continua a studiare?

_____

IV. Ordinal numbers

A. *Write complete sentences using the ordinal number in parentheses.*

Esempio: (4^a) pagina / libro   *È la quarta pagina del libro.*

1. (1^a) parte (*f.*) / romanzo (*novel*)

_____

2. (3^a) riga / pagina

_____

3. (5°) ragazzo / fila (*row*)

_____

4. (9^a) domanda / esercizio

_____

5. (10°) giorno / mese

_____

6. (15°) anno / nostra collaborazione

_____

7. (20°) anniversario / loro matrimonio

_____

8. (100ª) parte / dollaro

_____

9. (2ª) settimana / gennaio

_____

10. (7°) piano (*floor*) / edificio

_____

B. *Here is a list of things you are going to do today. Indicate their order of priority by placing an ordinal number in front of each activity.*

Esempio: *primo* : alzarmi.

_____: telefonare agli amici

_____: andare alla banca

_____: andare all'università

_____: studiare italiano

_____: vestirmi

_____: bere un succo di frutta

_____: fare colazione

_____: lavarmi

_____: leggere il giornale

_____: guardare la televisione

V. The months and the date

A. *Write out the departure and arrival dates of each person, using a complete sentence.*

Esempio: Piero: 26/12--3/1
Piero è partito il ventisei dicembre ed è ritornato il tre gennaio.

1. Mirella: 11/7--1/9

_____

2. I signori Lamborghini: 15/4--21/6

_____

3. Marcello: 14/8--31/10

_____

4. Il Presidente: 21/2--1/3

_____

B. *Write out the year in which each person was born, using a complete sentence.*

Esempio: George Washington (1732)
George Washington nacque (= è nato) nel mille settecento trentadue.

1. Dante Alighieri (1265)

_____

2. Michelangelo Buonarroti (1475)

_____

3. Galileo Galilei (1564)

_____

4. Giuseppe Garibaldi (1807)

_____

5. E Lei? Quando è nato(a)?

_____

VI. The seasons and the weather

A. *Answer each question in a complete sentence.*

1. In quale stagione gli alberi perdono le foglie (*leaves*)?

_____

2. Qual è la stagione preferita dagli appassionati di sci (*ski*)?

_____

3. Quale stagione aspettano impazientemente tutti gli studenti?

_____

4. In quale stagione arriva Pasqua (*Easter*)?

_____

5. In quale stagione è nato(a) Lei?

_____

B. *Choose one of the following expressions to complete each sentence.*

fa caldo   fa freddo   fa bello
piove   c'è nebbia   c'è afa
c'è vento

1. Roberto porta un golf di lana perchè _____.

2. Simonetta si è messa un abito leggero perchè _____.

3. La signora esce con l'ombrello perchè _____.

4. Il nonno non può respirare bene perchè _____.

5. Dino procede lentamente con la macchina perchè _____.

6. Il dottor Lisi non si è messo il cappello (*hat*) perchè

_____.

7. Le ragazze escono per una passeggiata a piedi perchè

_____.

C. *Give the equivalent in Italian.*

1. It was very cold this morning.

_____

2. Yesterday it rained the whole day.

_____

3. Did it snow in Florence last winter?

_____

4. How was the weather last summer? —It was very hot.

_____

D. *Answer each question as in the example.*

Esempio: Piove a Torino? (ieri)   *No, ma è piovuto ieri!*

1. Nevica sulle Alpi? (tutta la settimana)

_____

2. Fa brutto tempo in Riviera? (domenica scorsa)

_____

3. Tira vento fuori? (questa mattina)

_____

4. Fa caldo lì? (in agosto)

_____

5. C'è afa oggi? (tutto ieri)

_____

6. C'è il sole adesso? (per qualche ora)

_____

COMPOSIZIONE SCRITTA

Scrivete un buon paragrafo e parlate della vostra stagione preferita. Perchè
amate questa stagione? Quali sono le vostre attività in questa stagione? C'è
qualche festa (*holiday*) speciale? Andate in qualche posto? Come passate quella
festa o le vostre giornate? Con chi? Che vestiti portate? ecc.

11

PART ONE: LABORATORIO

DIALOGUE

Listen to the dialogue as you read along.

Il giorno della madre

Oggi è la festa della madre. Mentre la mamma si riposa *in salotto,* Franco e suo padre sono occupati in cucina a preparare il pranzo.

Franco Papà, hai guardato l'arrosto nel forno?

Padre Sì, l'ho guardato mezz'ora fa.

Franco Non hai dimenticato di mettere tutti gli ingredienti, vero?

Padre Quali ingredienti?

Franco Il sale, il pepe e l'aglio, no?

Padre Ah, quelli? No, non ho dimenticato di metterli. Puoi stare tranquillo: tutto procede bene. E adesso che cosa devo fare?

Franco La pentola per i tortellini è già sul fornello e la torta è pronta nel frigorifero. È ora di preparare la tavola. Sai dove la mamma ha messo la tovaglia bianca, quella con il *pizzo?*

Padre In uno di questi cassetti.

(La madre entra in cucina.)

Madre Hmmm! Cos'è questo buon odore?

Franco È l'arrosto che abbiamo preparato per te. Eccolo! Bello, no?

Madre Che bravi! *Mi trattate* come una *regina*!

Questions

Listen to each statement about the dialogue. Circle È vero if the statement
is true and Non è vero if it is false.

1. È vero.   Non è vero.   3. È vero.   Non è vero.

2. È vero.   Non è vero.   4. È vero.   Non è vero.

I. Direct object pronouns

A. *A friend is asking if you plan to do the following things. Answer,
   using the appropriate direct object pronoun. Then repeat the response
   after the speaker.*

   Esempio: Mi chiami domani? *Sì, ti chiamo domani.*

   1. .....   2. .....   3. .....   4. .....

B. *You are giving a party, and your roommate wants to know who you are
   inviting. Answer by replacing the noun with the direct object pronoun.
   Then repeat the response after the speaker.*

   Esempio: Inviti Laura? *Sì, la invito.*

   1. .....   2. .....   3. .....   4. .....   5. .....   6. .....

C. *Gino and Luciano are asking if you plan to do the following things.
   Answer in the negative. Then repeat the response after the speaker.*

   Esempio: Ci vedi domani? *No, non vi vedo domani.*

   1. .....   2. .....   3. .....   4. .....

II. Indirect object pronouns

A. *Answer each question, replacing the noun with the appropriate indirect
   object pronoun. Then repeat the response after the speaker.*

   Esempio: Scrivi a Luigi? *Sì, gli scrivo.*

   1. .....   2. .....   3. .....   4. .....   5. .....

B. *Answer each question using the formal indirect object pronoun. Then
   repeat the response after the speaker.*

   Esempio: Professore, mi scrive? *Sì, Le scrivo.*

   1. .....   2. .....   3. .....   4. .....

III. Object pronouns with the *passato prossimo*

   A. *Gianni asks you if you have done the following things. Answer in the past tense, substituting the appropriate direct object pronoun for the noun. Then repeat the response after the speaker.*

     Esempio: Hai visto Luisa? *Sì, l'ho vista.*

     1. .....   2. .....   3. .....   4. .....   5. .....

   B. *Your father wants to know if you and your brother have written to the following people. Answer affirmatively, as in the example. Then repeat the response after the speaker.*

     Esempio: Avete scritto allo zio? *Sì, gli abbiamo scritto.*

     1. .....   2. .....   3. .....   4. .....   5. .....

IV. Object pronouns with the infinitive and *ecco*

   A. *Your parents have come to visit, and you are showing them the sights of the city. Use* Ecco *and the appropriate pronoun. Then repeat the response after the speaker.*

     Esempio: il monumento di Verdi *Eccolo!*

     1. .....   2. .....   3. .....   4. .....

   B. *Your roommate is going shopping and wants to know if he should buy the following items. Answer, replacing the noun with the appropriate direct object pronoun. Then repeat the response after the speaker.*

     Esempio: Devo comprare la carne? *Sì, devi comprarla.*

     1. .....   2. .....   3. .....   4. .....

   C. *Answer each question by replacing the noun with the appropriate indirect object pronoun. Then repeat the response after the speaker.*

     Esempio: Devo parlare al professore? *Sì, devi parlargli.*

     1. .....   2. .....   3. .....   4. .....

V. Disjunctive (stressed) pronouns

A. *You have bought many presents and Linda wants to know for whom they are intended. Answer using the disjunctive pronoun. Then repeat the response after the speaker.*

Esempio: La borsa è per tua madre? *Sì, è per lei.*

1. .....   2. .....   3. .....   4. .....   5. .....

B. *Riccardo does not understand to whom you are talking and asks you to be more specific. Answer each question using the appropriate disjunctive pronoun. Then repeat the response after the speaker.*

Esempio: Parli a Giuseppe? *Sì, parlo a lui.*

1. .....   2. .....   3. .....   4. .....

LISTENING COMPREHENSION

Listen to the following passage, then answer the questions that follow. Repeat each response after the speaker.

1. .....   2. .....   3. .....   4. .....   5. .....

DICTATION

The speaker will read a short passage three times. First, listen carefully. The second time, write what you hear. The third time, check what you have written.

_____

_____ _____

_____

_____

_____

_____

_____

PART TWO: ESERCIZI SUPPLEMENTARI

I. Direct object pronouns

A. *Here is a list of some of the things Anna does in one day. Rewrite each sentence replacing the underlined words with a direct object pronoun.*

Esempio: Prende il caffè. *Lo prende.*

1. Prepara la colazione. _____

2. Vede gli amici. _____

3. Beve il caffè. _____

4. Fa i compiti. _____

5. Pulisce la sua camera. _____

6. Fa la spesa. _____

7. Invita le sue amiche. _____

B. *Answer each question in the affirmative, according to the example.*

Esempio: Mi porti al cinema? *Sì, ti porto al cinema.*

1. Ci inviti al ristorante? _____

2. Mi aspetti alla stazione? _____

3. Ci porti allo zoo? _____

4. Ci vedi questa sera? _____

5. Mi chiami alle cinque? _____

II. Indirect object pronouns

Your father wants to know if you and your brother Matteo are doing the following things. Answer each question by replacing the underlined word with the appropriate indirect object pronoun.

Esempio: Telefonate alla mamma? *Sì, le telefoniamo.*

1. Rispondete agli zii? _____

2. Parlate alla vostra professoressa? _____

3. Scrivete ai parenti? _____

4. Telefonate alla zia Giuseppina? _____

5. Rispondete a vostro cugino Pietro? _____

6. Telefonate al dottore? _____

7. Scrivete a vostra madre e a me? _____

8. Scrivete a vostra nonna? _____

III. Object pronouns with the *passato prossimo*

A. *Your friend Laura returned from a trip and wanted to know if you did the things she had asked you to do. Answer each question by replacing the underlined words with the appropriate indirect object pronoun.*

Esempio: Hai chiamato gli amici? *Sì, li ho chiamati.*

1. Hai riparato la televisione? _____

2. Hai fatto la spesa? _____

3. Hai comprato i libri? _____

4. Hai scritto le lettere? _____

5. Hai letto il giornale? _____

B. *Answer each question by replacing the underlined words with an indirect object pronoun.*

Esempio: Hai scritto a Teresa? *Sì, le ho scritto.*

1. Hai telefonato a Franco? _____

2. Hai risposto alla professoressa? _____

3. Hai scritto a Mariella? _____

4. Hai parlato al dottore? _____

5. Hai telefonato ai tuoi amici? _____

C. Quando? *Filippo wants to know when you and Gino did the following things. Answer using the cue in parentheses and replacing the underlined words with the appropriate object pronoun.*

Esempio: Quando ci avete telefonato? (ieri) *Vi abbiamo telefonato ieri.*

1. Quando avete risposto a me e a Roberto? (due giorni fa)

_____

110

2. Quando avete scritto a Teresa? (la settima scorsa)

_____

3. Quando ci avete mandato un pacco? (ieri)

_____

4. Quando mi avete telefonato? (un mese fa)

_____

5. Quando avete risposto ai vostri genitori? (sabato)

_____

6. Quando avete invitato me e Roberto? (tre giorni fa)

_____

IV. Object pronouns with the infinitive and *ecco*

A. *Answer each question beginning your sentence with* Ho dimenticato di . . .
   and replacing the underlined words with the appropriate object pronouns.

   Esempio: Hai chiamato Lucia? *Ho dimenticato di chiamarla.*

   1. Hai comprato le banane?

   _____

   2. Hai chiuso la porta?

   _____

   3. Hai telefonato a Matteo?

   _____

   4. Hai parlato a Stefania?

   _____

   5. Hai cercato il numero di telefono?

   _____

   6. Hai invitato gli zii a pranzo?

   _____

V. Disjunctive (stressed) pronouns

Answer each question using the appropriate disjunctive pronoun.

Esempio: Esci con Mariella? *Sì, esco con lei.*

1. Abiti vicino a Luciano? _____

2. Questa lettera è per noi? _____

3. Vai da Pietro e Carlo questa sera? _____

4. Abiti vicino ai tuoi genitori? _____

5. Esci con me questa sera? _____

6. Il regalo è per me? _____

7. Parli con noi? _____

COMPOSIZIONE SCRITTA

Voi invitate a cena una persona importante. Descrivete (*describe*) che cosa pensate di preparare (che piatti, che ingredienti comprate, come preparate la tavola).

12

PART ONE: LABORATORIO

DIALOGUE

Listen to the dialogue as you read along.

Tempo di elezioni

Renata e il fratello Gigi parlano delle elezioni.

Renata Gigi, hai deciso per quale partito votare?
  Gigi Non ancora.
Renata Ma non hai ascoltato i discorsi di alcuni candidati?
  Gigi Sì, ma tutti promettono le stesse cose. *Avevo deciso* di votare per il Partito Democristiano, poi ho ascoltato il discorso del senatore T. e *quello che diceva mi sembrava giusto...*
Renata Io sono sempre per il Partito Socialista. Secondo me è l'ideologia di un partito che conta, non il candidato.
  Gigi Sì, ma questa è la prima volta che io voto, e non *ne* so abbastanza.
Renata Hai ragione. *Si deve* leggere molto e ascoltare molto per crearsi un'opinione politica.

Questions

Listen to each statement about the dialogue. Circle È vero *if the statement is true, and* Non è vero *if it is false.*

1. È vero.   Non è vero.   3. È vero.   Non è vero.

2. È vero.   Non è vero.   4. È vero.   Non è vero.

I. The *imperfetto*

A. *Listen to the model sentence. Then form a new sentence by substituting the given noun or pronoun and making all necessary changes. Repeat each response after the speaker.*

1. Esempio: Io parlavo di politica. (lui) *Lui parlava di politica.*

....

2. Esempio: Quando io avevo dieci anni, preferivo giocare. (tu)
   Quando tu avevi dieci anni, preferivi giocare.

....

B. *Antonio's father constantly reminds his children of how life was when he was young. Re-crete his statements by changing the verb of each sentence to the imperfect tense. Then repeat the response after the speaker.*

Esempio: Mio padre ha sempre ragione. *Mio padre aveva sempre ragione.*

1. ..... 2. ..... 3. ..... 4. ..... 5. ..... 6. .....

II. The *passato prossimo* versus the *imperfetto*

A. *Change each sentence to the* passato prossimo *as in the example. Then repeat the response after the speaker.*

Esempio: Di solito votavo per i repubblicani.
          Anche ieri ho votato per i repubblicani.

1. ..... 2. ..... 3. ..... 4. .....

B. *Use the cues to state what Maria's brothers and sisters were doing when she came home. Then repeat the response after the speaker.*

Esempio: Lucio mangiava, quando Maria è ritornata. (Lucio / leggere)
          Lucio leggeva, quando Maria è ritornata.

1. ..... 2. ..... 3. ..... 4. .....

C. *During your stay in Italy you met an American student. Now you are telling a friend what he told you about himself. Use the cue to form each sentence. Then repeat the response after the speaker.*

Esempio: Mi ha detto che lavorava in un bar. (vivere con amici)
          Mi ha detto che viveva con amici.

1. ..... 2. ..... 3. ..... 4. ..... 5. .....

III. The *passato prossimo* versus the *imperfetto* with certain verbs

    A. *Tell your friends that you wanted to do several things but were unable to do them. Use the cues given to form a new sentence. Then repeat the response after the speaker.*

      Esempio: Volevo cenare, ma non ho potuto. (studiare)
               Volevo studiare, ma non ho potuto.

      1. .....   2. .....   3. .....   4. .....   5. .....

    B. *Answer each question in the negative, using the cues and following the example. Then repeat the response after the speaker.*

      Esempio: Sei andato alla riunione? (No / studiare)
               No, ho dovuto studiare.

      1. .....   2. .....   3. .....   4. .....

IV. The *trapassato prossimo*

    A. *Listen to the model sentence. Then form a new sentence by substituting the given subject and making all necessary changes. Repeat each response after the speaker.*

      Esempio: Io non avevo capito bene. (Carlo)
               Carlo non aveva capito bene.

      1. .....   2. .....   3. .....   4. .....

    B. *The following people did not eat because they had already done so. Re-create their statements by substituting the given subject and making all necessary changes. Repeat each response after the speaker.*

      Esempio: Io non ho mangiato perchè avevo già mangiato. (Noi)
               Noi non abbiamo mangiato perchè avevamo già mangiato.

      1. .....   2. .....   3. .....   4. .....

V. The impersonal *si* + verb

    A. *A mother is repeating some general rules to her child, who has not been behaving properly in school. Restate each sentence, using the impersonal si. Then repeat the response after the speaker.*

      Esempio: Uno non fa così. *Non si fa così.*

      1. .....   2. .....   3. .....   4. .....

B. *Dino is asking his friend Marco about doing different activities together. Re-create Marco's answers using the impersonal __si__. Then repeat the response after the speaker.*

Esempio: Andiamo alla riunione stasera? *Si, si va alla riunione.*

1. .....   2. .....   3. .....   4. .....

C. *State which language is spoken in each country, using the cue and following the example. Then repeat the response after the speaker.*

Esempio: (Italia / italiano) *In Italia si parla italiano.*

1. .....   2. .....   3. .....   4. .....   5. .....   6. .....

LISTENING COMPREHENSION

Listen to the following passage, then answer the questions that follow. Repeat each response after the speaker.

1. .....   2. .....   3. .....   4. .....   5. .....

DICTATION

The speaker will read a short passage three times. First, listen carefully. The second time, write what you hear. The third, time, check what you have written.

_____

_____

_____

_____

_____

_____

_____

PART TWO: ESERCIZI SUPPLEMENTARI

I. The *imperfetto*

A. *Answer the following questions, using each subject in parentheses and changing the verb form accordingly.*

1. Chi diceva bugie? (Pinocchio, i bambini, anche tu)

_____

_____

_____

2. Chi faceva sempre viaggi? (tu, io, i due senatori, noi)

_____

_____

_____

3. Chi era stanco di ascoltare? (la gente, noi, anche voi)

_____

_____

_____

4. Chi non beveva vino? (tu, i miei nonni, anch'io)

_____

_____

_____

B. *Contradict the following statements, beginning each sentence with* Una volta *and changing the verb to the* imperfetto.

Esempio: I treni arrivano in ritardo.
          Una volta i treni non arrivavano in ritardo.

1. I democristiani perdono le elezioni.

_____

2. Il Partito Socialista vince.

_____

3. C'è un sacco di gruppi politici.

_____

4. I bambini sono maleducati (*rude*).

_____

5. I giovani vogliono avere l'ultima parola.

_____

6. La gente ha paura di camminare per la strada.

_____

C. *Lucio is describing to a friend how things were this morning when he went out. Change each sentence to the imperfect tense.*

1. Sono le otto.

_____

2. È nuvoloso e fa freddo.

_____

3. La gente ha l'ombrello e cammina frettolosamente (*hurriedly*).

_____

4. Gli autobus sono affollati.

_____

5. I bambini vanno a scuola.

_____

D. *An Italian high school student is interviewing you about your high school years. Answer each question in a complete sentence, using a time expression or the negation* non . . . ancora.

Esempio: Da quanto tempo avevi la macchina?
         L'avevo da pochi mesi. or *Non l'avevo ancora.*

1. Da quanto tempo frequentavi la scuola secondaria?

_____

2. Da quanto tempo uscivi solo(a) la sera?

_____

3. Da quanto tempo sapevi ballare?

_____

4. Da quanto tempo avevi un ragazzo (una ragazza)?

_____

5. Da quanto tempo lavoravi?

_____

6. Da quanto tempo studiavi una lingua straniera?

_____

II. The *passato prossimo* versus the *imperfetto*

A. *Change each sentence to the* imperfetto *or* passato prossimo, *according to the expression in parentheses.*

Esempio: Piove.(tutti i giorni) *Pioveva tutti i giorni.*

1. Prendo l'autobus.(di solito)

_____

2. Il papà ci racconta una favola.(ogni sera)

_____

3. Prendiamo l'autobus.(sempre)

_____

4. Si arrabbia con noi.(stamattina)

_____

5. Ci vediamo.(il 23 aprile)

_____

6. Ritornano presto.(ogni giorno)

_____

7. Ritornano tardi. (qualche volta)

_____

8. Andiamo al cinema. (il sabato)

_____

9. Andiamo a una riunione politica. (sabato scorso)

_____

B. *Complete each sentence in the* imperfetto *or the* passato prossimo, *according to the meaning.*

1. Ieri sera io (andare) _____ a teatro; (esserci)

   _____ molta gente.

2. Quando Paolo (ritornare) _____ dagli Stati Uniti,

   i suoi genitori lo (aspettare) _____

   all'aeroporto.

3. Quando noi (arrivare) _____ dai Morandi,

   i bambini (giocare) _____, mentre lui e lei

   (leggere) _____ delle riviste.

4. Ieri sera noi (leggere) _____ dalle nove a

   mezzanotte; poi (andare) _____ a letto.

5. Tutte le estati la famiglia (passare) _____

   un mese di vacanza in montagna.

6. Chi (governare) _____ la Germania durante il

   nazismo?

C. *Form complete sentences stating the reasons for the actions of the following people.*

Esempio: Dino / vendere la macchina / avere bisogno di soldi
          Dino ha venduto la macchina perchè aveva bisogno di soldi.

1. Maria / mettersi un golf / avere freddo

_____

2. Io / restare a casa / non stare bene

_____

3. Tu / vestirsi in fretta / essere tardi

_____

4. I signori Brunetto / cenare prima del solito / aspettare amici

_____

5. Noi / fermarsi / esserci molta gente sul marciapiedi

_____

6. Pietro / preso l'impermeabile / nevicare

_____

III. The *passato prossimo* versus the *imperfetto* with certain verbs

A. *Complete each answer according to the example.*

Esempio: Hai comprato la frutta? *Volevo comprarla*, ma non era bella.

1. Hai pulito l'appartamento?

_____, ma non stavo bene.

2. Hai fatto gli spaghetti?

_____, ma non c'era più formaggio.

3. Hai lavato i piatti?

_____, ma la lavastoviglie non funzionava.

4. Hai telefonato a Mirella?

_____, ma il telefono era sempre occupato.

5. Hai parlato a tuo padre?

_____, ma non era a casa.

6. Hai pagato l'affitto?

_____, ma l'ufficio era chiuso.

B. *React to each sentence stating that you were supposed to do the same things but were unable to do so.*

Esempio: Lisa ha letto il libro.
          Anch'io dovevo leggerlo, ma non ho potuto.

1. Noi abbiamo ringraziato il professore.

_____

2. Lui ha fatto colazione.

_____

3. Le due sorelle hanno salutato le amiche.

_____

4. Ho scritto ai miei genitori.

_____

5. Lui ha mandato un telegramma.

_____

C. *Answer each question by using the cue in parentheses and either the* passato prossimo *or the* imperfetto *of* sapere *or* conoscere, *according to the meaning.*

Esempio: Sapevi che Luisa era a Roma? (no) *No, non lo sapevo.*

1. Sapevi che Gabriella era sposata? (sì)

_____

2. Sapevi che l'esame d'italiano era oggi? (no, un'ora fa)

_____

3. Sapevi che dovevi preparare un discorso? (no, qualche minuto fa)

_____

4. Conoscevi Renzo? (sì, . . . / da molti anni)

_____

5. Conoscevi la figlia del professore di storia? (no)

_____

6. Conoscevi il fratello di Piero? (sì, . . . / a una festa l'altra sera)

_____

IV. The *trapassato prossimo*

    A. *Answer each question, using the cue in parentheses and the* trapassato
    prossimo.

       1. Perchè il candidato era scontento? (perdere le elezioni)

       _____

       2. Perchè il primo ministro era stanco? (avere troppe riunioni)

       _____

       3. Perchè i due studenti festeggiavano con spumante? (laurearsi)

       _____

       4. Perchè voi avevate sonno? (andare a letto tardi)

       _____

       5. Perchè la signora era felice? (ritornare dall'ospedale)

       _____

       6. Perchè la gente rideva? (sentire una barzelletta [*joke*])

       _____

       7. Perchè non eri in classe? (andare dal dentista)

       _____

    B. *Restate what a friend told you about his first experience at the voting
    polls. Start each sentence with* Mi ha detto che, *followed by the*
    trapassato prossimo. *Make all the necessary changes.*

    Esempio: Ho visto poca gente per la strada.
             Mi ha detto che aveva visto poca gente per la strada.

    1. Ho cercato la casa.

    _____

    2. Sono entrato nel garage.

    _____

    3. Ho preso la scheda elettorale (*ballot*).

    _____

4. Ho votato senza esitazioni.

_____

5. Sono uscito molto soddisfatto.

_____

6. Ho fatto il mio dovere.

_____

V. The impersonal _si_ + verb

A. *Answer the following questions by using the impersonal* `si`.

1. Che si fa in piscina?

_____

2. In che ristorante della vostra città si mangia bene e si spende poco?

_____

3. Quali lingue si parlano in Svizzera?

_____

4. Che si va a fare in una discoteca?

_____

5. Perchè si va all'università?

_____

B. *Your grandfather is telling you what he and other people of his generation used to do when they were young. Substitute the impersonal* `si` *for the* noi *form.*

Esempio: Leggevamo buoni libri. *Si leggevano buoni libri.*

1. Eravamo contenti di poco.

_____

2. Ascoltavamo la radio.

_____

3. Facevamo passeggiate.

_____

4. Andavamo in bicicletta.

_____

5. Spendevamo poco.

_____

6. Studiavamo di più (*more*).

_____

7. Non avevamo tante storie per la testa (*in mind*).

_____

COMPOSIZIONE SCRITTA

Lei è andato(a) a una riunione politica (o a una conferenza, o . . .). Descriva quello che (*what*) ha visto e sentito. Che giorno era? Che tempo faceva? Dov'era Lei? Perchè era là? Che cosa è successo (*happened*)? Che cosa ha detto l'oratore (*speaker*)? . . .

13

PART ONE: LABORATORIO

DIALOGUE

Listen to the dialogue as you read along.

Quando si trasloca

Lisa e Claudio, suo marito, hanno appena traslocato in un nuovo appartamento ed ora *stanno disponendo* i mobili del *soggiorno*.

Claudio	Allora, *ti piace* il divano qui, davanti alla finestra?
Lisa	No, stava *meglio* dov'era prima, contro la parete.
Claudio	Te l'avevo detto anch'io! Questa è la terza volta che *lo sposto*. Hai pensato alla mia *schiena?*
Lisa	Ci penso, ci penso! Ma devo pensare anche all'estetica della stanza.
Claudio	E la poltrona verde, dove la mettiamo? La vuoi vicino al caminetto o vicino al divano?
Lisa	Quell'orribile poltrona? Quand'è che *ce ne liberiamo* e che ne compriamo una nuova?
Claudio	Ah, no! Dimentichi che me l'ha regalata mia zia Lina?
Lisa	E come posso dimenticarlo? Me lo ricordo ogni volta che la guardo!
Claudio	Lisa, perchè non facciamo la pace? Se tu mi prometti di non parlare male della poltrona, io ti prometto di non parlare male del tappeto marrone *che* ti hanno regalato i tuoi genitori.

Questions

Listen to each statement about the dialogue. Circle È vero if the statement is true, and Non è vero if it is false.

1. È vero.   Non è vero.   3. È vero.   Non è vero.

2. È vero.   Non è vero.   4. È vero.   Non è vero.

I. _Ne_

A. _Listen to the model sentence. Then form a new sentence, replacing the partitive and the noun with_ ne. _Repeat the response after the speaker._

Esempio: Abbiamo degli amici. _Ne abbiamo._

1. .....   2. .....   3. .....   4. .....

B. _Your girlfriend wants to know if you need the following people or things to be happy. Answer in the affirmative or the negative, using_ ne. _Then repeat the response after the speaker._

Esempio: Hai bisogno di un palazzo? (sì / no)
          Sì, ne ho bisogno.
          No, non ne ho bisogno.

1. .....   2. .....   3. .....   4. .....

C. _Riccardo is considering moving into the apartment you are already sharing with a friend. Answer his questions, using_ ne. _Then repeat the response after the speaker._

Esempio: Quante stanze avete? (quattro)   _Ne abbiamo quattro._

1. .....   2. .....   3. .....   4. .....

D. _Imagine that you are recuperating from a short illness. Linda wants to know if you are allowed to do the following things. Answer using_ ne. _Then repeat the response after the speaker._

Esempio: Puoi fare delle passeggiate? _Sì, posso farne._

1. .....   2. .....   3. .....   4. .....

E. _Last night you went to a party given by an Italian friend. Rosanna wants to know if you ate the following things. Answer using the pronoun_ ne. _Then repeat the response after the speaker._

Esempio: Hai mangiato del gelato?   _Sì, ne ho mangiato._

1. .....   2. .....   3. .....   4. .....   5. .....

II. _Ci_

A. _Answer each question using_ ci _and the cue. Then repeat the response after the speaker._

Esempio: Quando sei andato a Roma? (l'anno scorso)
          Ci sono andato l'anno scorso.

1. .....   2. .....   3. .....   4. .....

B. *You and a friend are talking about the world's problems. Respond to each question using* ci *and the cue. Then repeat the response after the speaker.*

Esempio: Pensi all'inflazione? (spesso) *Ci penso spesso.*

1. .....   2. .....   3. .....   4. .....

C. *Marco is inquiring about an apartment. Answer his questions using* ci *and* ne *and the cue. Then repeat the response after the speaker.*

Esempio: Quante stanze ci sono? (tre)   *Ce ne sono tre.*

1. .....   2. .....   3. .....   4. .....

III. Double object pronouns

A. *Franca is asking if you will give her the following things. Answer in the affirmative, using double object pronouns. Then repeat the response after the speaker.*

Esempio: Mi dai il libro? *Sì, te lo do.*

1. .....   2. .....   3. .....   4. .....

B. *Fabio's father is a millionaire. Stefano is asking you what Fabio's father is buying for his son. Answer using the appropriate double object pronouns. Then repeat the response after the speaker.*

Esempio: Gli compra la macchina? *Sì, gliela compra.*

1. .....   2. .....   3. .....   4. .....

C. *Luisa and Marta are visiting their cousins and are asking many questions. Answer using the appropriate double object pronouns. Then repeat the response after the speaker.*

Esempio: Ci mostrate l'appartamento? *Sì, ve lo mostriamo.*

1. .....   2. .....   3. .....   4. .....

D. *Giuseppe wants to know if you and your father talk about the following things. Answer using the appropriate double object pronouns and the cue. Then repeat the response after the speaker.*

Esempio: Ti parla dei suoi problemi? (qualche volta)
          Me ne parla qualche volta.

1. .....   2. .....   3. .....   4. .....

E. *Your brother calls to find out whether you have sent him the following things. Answer in the negative, using double object pronouns. Then repeat the response after the speaker.*

Esempio: Mi hai mandato la lettera?   *No, non te l'ho mandata.*

1. .....   2. .....   3. .....   4. .....   5. .....

F. *Answer each question in the affirmative, using double object pronouns. Then repeat the response after the speaker.*

Esempio: Puoi darmi il libro di italiano?   *Sì, posso dartelo.*

1. .....   2. .....   3. .....   4. .....

IV. *Piacere*

A. *Your new friend Giovanni wants to know you better. Answer in the affirmative or the negative, according to the cue. Then repeat the response after the speaker.*

Esempio: Ti piace nuotare? (sì / no)
          Sì, mi piace. or *No, non mi piace.*

1. .....   2. .....   3. .....   4. .....

B. *Lisa is going to buy a present for her boyfriend, who happens to be your best friend. She needs to know what he likes. Answer in the affirmative or the negative, according to the cue. Then repeat the response after the speaker.*

Esempio: (un libro / sì) *Sì, gli piace.*
          (dei cioccolatini / no) *No, non gli piacciono.*

1. .....   2. .....   3. .....   4. .....   5. .....

C. *You and Liliana went to a wedding reception where the food was fabulous. Liliana asks you if you liked the following things. Answer in the affirmative with* <u>piacere</u>. *Then repeat the response after the speaker.*

Esempio; (i ravioli) *Sì, mi sono piaciuti.*
          (1'antipasto) *Sì, mi è piaciuto.*

1. .....   2. .....   3. .....   4. .....   5. .....

LISTENING COMPREHENSION

Listen to the following passage, then answer the questions that follow. Repeat each response after the speaker.

1. .....   2. .....   3. .....   4. .....   5. .....

DICTATION

The speaker will read a short passage three times. First, listen carefully. The second time, write what you hear. The third time, check what you have written.

_____

_____

_____

_____

_____

_____

_____

_____

PART TWO: ESERCIZI SUPPLEMENTARI

I. *Ne*

A. *Lisa wants to know many things about Claudio. Answer each of her questions using* ne *and the cue in parentheses.*

Esempio: Ha degli amici? (molti) *Sì, ne ha molti.*

1. Ha una macchina? (una) _____

2. Ha dei parenti in Italia? (alcuni) _____

3. Ha dei cugini a Firenze? (due) _____

4. Ha degli esami oggi? (tre) _____

5. Ha dei soldi? (molti) _____

6. Ha dei problemi? (pochi) _____

B. *Your roommate wants to know what you discussed at a political gathering. Answer each question in either the affirmative or the negative using* ne.

Esempio: Avete parlato dei nostri problemi?
          Sì, ne abbiamo parlato. or *No, non ne abbiamo parlato.*

1. Avete parlato dei candidati? (sì)

_____

2. Avete parlato dei giornalisti? (no)

_____

3. Avete parlato della situazione economica? (sì)

_____

4. Avete parlato della campagna elettorale? (no)

_____

C. *You sprained your ankle and had to stay in bed for a few days. Your friend Luciano wants to know if you did the following things.*

Esempio: Quanti libri hai letto? (due) *Ne ho letti due.*

1. Quante pizze hai mangiato? (quattro)

_____

2. Quanti amici hai visto? (dieci)

_____

3. Quante lettere hai scritto? (molte)

_____

4. Quante composizioni hai scritto? (una)

_____

5. Quanti cioccolatini hai mangiato? (cinquanta)

_____

D. *Anna is going grocery shopping and wants to know how much or how many of the following food items she should buy. Answer using* ne *and the cue in parentheses.*

Esempio: Quante bistecche devo comprare? (quattro)
          Devi comprarne quattro.

132

1. Quanta frutta devo comprare? (un chilo)

_____

2. Quanto vino devo comprare? (due bottiglie)

_____

3. Quante mele devo comprare? (otto)

_____

4. Quanto zucchero devo comprare? (mezzo chilo)

_____

II. *Ci*

A. *Answer each question using* ci *and the cue in parentheses.*

Esempio: Quando sei andato a San Francisco? (ieri)
          Ci sono andato ieri.

1. Quando siete stati a Firenze? (un anno fa)

_____

2. Quando è andato a New York, Franco? (a settembre)

_____

3. Quando sei andato dal dentista? (tre mesi fa)

_____

4. Quando siete arrivati a Boston? (giovedì)

_____

B. *You are inquiring about a furnished apartment for rent and want to know
   if the following things are in the apartment. Re-create the landlord's
   answers, using the affirmative or the negative, according to the cue.*

Esempio: Ci sono delle sedie? (sì, quattro) / (no)
          Sì, ce ne sono quattro. or No, non ce ne sono.

1. Ci sono dei tavoli? (no)

_____

2. Ci sono delle poltrone?   (sì, due)

_____

3. Ci sono dei divani?   (sì, uno)

_____

4. Ci sono degli armadi?   (no)

_____

5. Ci sono lei letti?   (sì, tre)

_____

III. Double object pronouns

A. <u>Quando eri piccolo(a)</u>. *When you were a child, did your mother or father do the following things for you? Answer using a double object pronoun.*

Esempio: Ti comprava i giocattoli? *Sì, me li comprava.*

1. Ti raccontava le favole?

_____

2. Ti leggeva i libri?

_____

3. Ti portava i regali a Natale?

_____

4. Ti faceva il compito?

_____

5. Ti spiegava la lezione?

_____

B. *Mr. Bianchi is renting his house. The tenant wants other features added to the rental and Mr. Bianchi agrees.*

Esempio: Signor Bianchi, mi affitta la casa? *Sì, gliela affitto.*

1. Mi vende i mobili?

_____

2. Mi lascia il telefono?

_____

3. Mi regala la lavapiatti?

_____

4. Mi firma il contratto?

_____

5. Mi presta la macchina?

_____

C. *Someone is going to rent your father's beach house and your father wants to know if you have done the following things for the new tenant.*

Esempio: Gli hai mostrato la casa? *Sì, gliela ho mostrata.*

1. Gli hai dato il mio numero di telefono?

_____

2. Gli hai mostrato i mobili?

_____

3. Gli hai dato la chiave?

_____

4. Gli hai presentato i vicini?

_____

5. Gli hai lasciato il contratto?

_____

D. *You are going to visit Arturo at his mountain cabin. He forgot a few things and asks you to bring them.*

Esempio: Puoi portarmi i miei sci? (sì) *Sì, posso portarteli.*

1. Puoi portarmi il mio sacco a pelo (*sleeping bag*)? (sì)

_____

2. Puoi portarmi il mio cane?   (no)

_____

3. Puoi portarmi i miei scarponi (*hiking boots*)?   (sì)

_____

4. Puoi portarmi la legna (*wood*)?   (no)

_____

5. Puoi portarmi le candele?   (sì)

_____

E. Cosa ti metti?   *What do you wear on cold, rainy days?*

Esempio: Ti metti il cappotto? *Sì, me lo metto.*

1. Ti metti gli stivali? _____

2. Ti metti la giacca? _____

3. Ti metti l'impermeabile? _____

IV. *Piacere*

A. *Form a sentence using the cues, according to the example.*

Esempio: (Mario / viaggiare) *A Mario piace viaggiare.*
          (i bambini / i dolci) *Ai bambini piacciono i dolci.*

1. Arturo / la montagna

_____

2. mio padre / i soldi

_____

3. il mio amico / la letteratura

_____

4. il mio professore / Firenze

_____

5. il mio gatto / i pesci

_____

6. gli studenti / le vacanze

_____

B. *Tommaso and Filomena got married. Giuseppe asks them if they liked the presents they received.*

Esempio: (la televisione) *Ci è piaciuta.*

1. (i piatti) _____

2. (le lampade) _____

3. (la poltrona) _____

4. (il vaso cinese) _____

5. (le pentole) _____

6. (il libro di cucina) _____

COMPOSIZIONE SCRITTA

Descriva la Sua casa o il Suo appartamento (le stanze piccole o grandi, i mobili moderni o antichi, ecc.) o la Sua casa ideale.

14

PART ONE: LABORATORIO

DIALOGUE

Listen to the dialogue as you read along.

<u>Al mare</u>

Due bagnini su una spiaggia dell'Adriatico si parlano.

Giovanni   Hai visto quanti turisti ci sono quest'anno?
Lorenzo   Sì, e ne arriveranno ancora molti.
Giovanni   Arrivano con le loro tende e i loro camper da tutta l'Europa.
Lorenzo   Il campeggio è un modo economico di fare le vacanze.
Giovanni   Molti non hanno la tenda, ma solo uno zaino e un sacco a pelo. Quando sono stanchi di stare sulla spiaggia, fanno l'autostop e vanno in montagna.
Lorenzo   E hai visto come sono *attrezzati*? Hanno *tutto l'occorrente* per passare l'estate in Italia.
Giovanni   Sì, e viaggiano con le loro carte geografiche. Molti conoscono l'Italia meglio di noi.
Lorenzo   Quest'estate saremo più occupati *del solito*. Non ho mai visto tanta gente!
Giovanni   *Guarda* come sono belle tutte quelle barche a vela nel mare blu.
Una voce   Bagnino, bagnino, *aiuto! Affogo!*
Lorenzo   Incominciamo bene!

Questions

Listen to each statement about the dialogue. Circle <u>È vero</u> *if the statement is true and* <u>Non è vero</u> *if it is false.*

1. È vero.   Non è vero.   3. È vero.   Non è vero.

2. È vero.   Non è vero.   4. È vero.   Non è vero.

I. The future

A. *Listen to the model sentence. Then form a new sentence by substituting the given verb form. Repeat each response after the speaker.*

Esempio: Io passerò le vacanze al mare. (Tu passerai)
Tu passerai le vacanze al mare.

1. ..... 2. ..... 3. ..... 4. .....

B. *Listen to the model sentence. Then form a new sentence by substituting the given subject and making all necessary changes. Repeat each response after the speaker.*

Esempio: Luisa si divertirà quest'estate. (io)
Io mi divertirò quest'estate.

1. ..... 2. ..... 3. ..... 4. .....

C. *A friend is asking Patrizia about her summer projects. Re-create her answers using the suggested cues. Then repeat the response after the speaker.*

Esempio: Andrai al lago? (No / al mare) *No, andrò al mare.*

1. ..... 2. ..... 3. ..... 4. ..... 5. ..... 6. .....

D. *Say what the following people will do by changing the verb in each sentence to the future tense. Then repeat the response after the speaker.*

Esempio: Vincenzo parte per l'Africa. *Vincenzo partirà per l'Africa.*

1. ..... 2. ..... 3. ..... 4. ..... 5. ..... 6. .....

E. *The following people will see the Vatican when they go to Rome. Use the cue and follow the example to form a new sentence. Then repeat the response after the speaker.*

Esempio: Io lo vedrò quando andrò a Roma. (noi)
Noi lo vedremo quando andremo a Roma.

1. ..... 2. ..... 3. ..... 4. ..... 5. .....

II. The future perfect tense

A. *Listen to the model sentence. Then form a new sentence by substituting the given subject. Repeat the response after the speaker.*

1. Esempio: Alle cinque io sarò partito. (tu)
Alle cinque tu sarai partito.

....

2. Esempio: Tu mangerai dopo che avrai finito. (io)
              Io mangerò dopo che avrò finito.

....

B. *Say what the following people will have done by tonight by changing each statement from the simple future to the future perfect. Then repeat the response after the speaker.*

Esempio: Lisa scriverà la lettera. *Lisa avrà scritto la lettera.*

1. ..... 2. ..... 3. ..... 4. ..... 5. .....

III. The future of probability

A. *You are trying to guess the age of the following people. Form a sentence using the cues. Then repeat the response after the speaker.*

Esempio: (Maria / diciotto anni) *Maria avrà diciotto anni.*

1. ..... 2. ..... 3. ..... 4. ...... 5. .....

B. *Answer each question using the future tense and the cue. Then repeat the response after the speaker.*

Esempio: Che ore sono? (le undici) *Saranno le undici.*

1. ..... 2. ..... 3. ..... 4. ..... 5. .....

C. *Pierino's mother is worried because it is late, and Pierino hasn't come home yet. She is trying to think of where he might be. Use the future perfect tense of* andare *and the cues to form each sentence. Then repeat the response after the speaker.*

Esempio: (cinema) *Sarà andato al cinema.*

1. ..... 2. ..... 3. ..... 4. ..... 5. ..... 6. .....

IV. Common suffixes with nouns and adjectives

Form a new phrase by using the same noun with the appropriate suffix. Then repeat the phrase after the speaker.

Esempio: (una piccola parola) *una parolina*

1. ..... 2. ..... 3. ..... 4. ..... 5. ..... 6. ..... 7. .....

8. ..... 9. ..... 10. .....

Listen to the following paragraph, then answer the questions that follow. Repeat each response after the speaker.

1. .....   2. .....   3. .....   4. .....   5. .....

DICTATION

The speaker will read a short passage three times. First, listen carefully. The second time, write what you hear. The third time, check what you have written.

_____

_____

_____

_____

_____

_____

_____

_____

PART TWO: ESERCIZI SUPPLEMENTARI

I. The future

   A. *Create a new sentence by substituting each subject in parentheses.*

   1. Quando pagherai il conto tu? (voi, il turista, loro)

_____

_____

_____

   2. Noi staremo attenti. (io, tu e lui, i bambini, il giovanotto)

_____

_____

_____

3. Io berrò quando avrò sete. (lei, noi, i viaggiatori)

_____

_____

_____

4. La signora verrà se potrà. (io, io e lui, i nonni)

_____

_____

_____

B. *An optimist is predicting what will happen fifty years from now* (tra cinquant'anni). *Complete each statement in the future tense.*

Esempio: (essere) Tutti *saranno* ricchi.

1. (essere) La Russia _____ amica di tutto il mondo.

2. (vivere) Tutti i paesi _____ in pace.

3. (diventare) L'Europa _____ una confederazione di paesi.

4. (sostituire [*to replace*]) L'energia solare _____ l'energia nucleare.

5. (avere) L'Italia _____ un governo stabile.

6. (occupare) Una presidentessa _____ la Casa Bianca.

7. (continuare) Le vacanze _____ tutto l'anno.

8. (pagare) Noi non _____ più tasse.

9. (lavorare) I computer _____ per noi.

C. *Answer each question in the negative, using either the future or the* passato prossimo, *according to the expression of time in parentheses.*

Esempio: Vedi quel film stasera? (sabato prossimo)
        No, lo vedrò sabato prossimo.
        Vedi quel film stasera? (sabato scorso)
        No, l'ho visto sabato scorso.

1. Parti per l'Adriatico oggi? (fra due settimane)

_____

2. Fai una gita al Lago Maggiore? (tre giorni fa)

_____

3. Vai all'università stamattina? (domani mattina)

_____

4. Puoi scrivere la risposta a questa lettera? (fra qualche giorno)

_____

5. Mangi ora? (fra un'ora)

_____

6. Mi presti la macchina? (anche ieri)

_____

7. Vuoi dei soldi? (la settimana prossima)

_____

8. Sei stanco di lavorare? (fra qualche minuto)

_____

D. *A friend is asking Paola whether she is doing the following things, and Paola answers that she will do them when or if other things take place. Answer with a complete sentence, using the cues and following the example.*

Esempio: Compri gli scarponi? (se / andare in montagna)
             Li comprerò, se andrò in montagna.

1. Non accendi (*light*) il fuoco? (quando / gli altri ritornare)

_____

2. Non prendi il sole oggi? (se / fare più caldo)

_____

3. Non ti prepari a partire? (non appena / avere i biglietti)

_____

4. Non ti abbronzi in giardino? (quando / essere alla spiaggia)

_____

144

5. Non metti la merenda (*snack*) nello zaino? (non appena / essere pronta)

_____

6. Parti con tua sorella? (se / lei stare meglio [*better*])

_____

7. Porti anche il tuo fratellino? (se / lui volere venire)

_____

II. The future perfect tense

A. *Your mother wants to know whether you have already done the following things. Reassure her that you will have done them by a certain time. Answer with a complete sentence using the future perfect tense and the cue in parentheses.*

Esempio: Hai già finito il libro? (fra un'ora)
        L'avrò finito fra un'ora.

1. Hai già imparato il futuro? (fra qualche pagina)

_____

2. Hai già scritto a tuo padre? (prima di sera)

_____

3. Hai già pulito l'appartamento? (prima di cena)

_____

4. Hai già deciso dove andare in vacanza? (prima di domani)

_____

5. Hai già fatto le valigie? (per le tre del pomeriggio)

_____

B. *Answer each question using the future perfect tense and the cue. Follow the example.*

Esempio: Quando andrai a sciare? (appena / comprare una giacca a vento)
        Ci andrò appena avrò comprato una giacca a vento.

1. Quando leggerai la *Divina Commedia*? (appena / imparare bene l'italiano)

_____

2. Quando verrai a trovarmi? (dopo che / comprare una pianta della città)

_____

3. Quando farai un'altra escursione con me? (quando / dimenticare l'ultima escursione)

_____

4. Quando andrai in ferie? (appena / ricevere lo stipendio)

_____

5. Quando vedrai la tua ragazza? (non appena / cenare)

_____

6. Quando uscirai? (dopo che / vestirsi)

_____

C. *Complete each sentence by putting the verb in parentheses in either the future or future perfect tense.*

1. Appena (finire) _____ il lavoro, partirò dall'ufficio.

2. Il signor Petrini (andare) _____ in pensione (*retirement*), quando avrà lavorato per trent'anni.

3. Visiteremo l'Austria solamente quando (sapere) _____

   parlare tedesco.

4. Se Lucia non sarà a casa per mezzanotte, sua madre (incominciare)

   _____ a preoccuparsi.

5. Verremo a trovarvi solamente dopo che voi ci (mandare)

   _____ l'invito.

6. Ti racconterò tutto quando ti (vedere) _____ .

III. The future of probability

A. *It is winter vacation and everyone is going to a different place. What kind of weather will they find there? Form a sentence using the future and the cues.*

Esempio: (Taormina / bello) *A Taormina farà bello.*

1. (Monte Etna / nevicare) _____

2. (Acapulco / caldo) _____

3. (Bologna / nebbia) _____

4. (Firenze / piovere) _____

5. (Chicago / vento) _____

6. (Adriatico / brutto) _____

7. (Nuova York / molto freddo) _____

B. *You are wondering about some friends who have gone abroad for vacation. Turn each statement into a question expressing your conjectures.*

Esempio: Oggi sono a Roma. *In che città saranno oggi?*

1. Fa caldo in Italia.

_____

2. Non si annoiano; si divertono.

_____

3. Trovano il paese molto bello.

_____

4. Visitano i Musei Vaticani.

_____

5. Vanno anche in Sicilia.

_____

6. Si ricordano dei loro amici.

_____

7. Scrivono cartoline (*postcards*).

_____

8. Trovano il cambio del dollaro molto favorevole.

_____

C. *Complete each sentence with the future of probability, using either the future or perfect future, according to the context.*

1. Se Lucia non è a casa sua, (essere) _____ a casa della sua amica.

2. Come sono abbronzati quei ragazzi! (passare) _____ le vacanze al mare.

3. Liliana è uscita. (andare) _____ a fare la spesa.

4. Quanti anni ha quella signora? (avere) _____ una quarantina d'anni.

5. Non c'è più torta nel frigorifero. La (mangiare) _____ Pierino!

6. Com'è pallido il professore oggi! Forse non (stare) _____ bene o non (dormire) _____ la notte scorsa.

IV. Common suffixes with nouns and adjectives

Describe each person or thing by adding the appropriate suffix.

Esempio: Che giornata! Piove! *Che giornataccia!*

1. Che ragazzo! Dice sempre bugie! _____

2. Che lettera! Ci sono solo tre righe! _____

3. Che bambino! È così grosso! _____

4. Che casa piccola! Però è carina! _____

5. Che libro pesante! Avrà almeno mille pagine!

_____

6. Che begli occhi! Come sono grandi! _____

7. Che mani (*hands*)! Come sono piccole! _____

8. Che professore! Quante cose sa! _____

COMPOSIZIONE SCRITTA

Lei sogna (sognare: *to dream of*) una vacanza ideale, al mare, o in montagna,
o . . . Dove la passerà? Come? Con chi?

15

PART ONE: LABORATORIO

DIALOGUE

Listen to the dialogue as you read along.

Una scelta difficile

Laura è all'ultimo anno di liceo e pensa al suo futuro.

Laura	A che facoltà m'iscriverò, quando avrò finito il liceo?
La sua *coscienza*	Se non studi di più la matematica e le altre *materie* principali, non riuscirai mai agli esami di maturità.
Laura	*Mi piacerebbe* fare la professoressa: in estate *avrei* lunghe vacanze e mi divertirei. Ma... la professoressa di che cosa?
La sua coscienza	Le professoresse passano lunghe ore sui libri e sui fogli da correggere. E non ti piacerebbe ricevere il loro stipendio.
Laura	*Sarebbe* forse *meglio* fare medicina: i medici sono tutti ricchi. *Potrei* diventare specialista; per esempio, chirurgo o oculista.
La sua coscienza	Per fare medicina sono necessari sei anni. Poi ci sono gli anni della specializzazione. E si deve continuare a studiare per tutta la vita, *dato* il progresso della scienza.
Laura	E quando avrei il tempo di divertirmi? Meglio non pensarci per il momento.

Questions

Listen to each statement about the dialogue. Circle <u>È vero</u> if the statement is true, and <u>Non è vero</u> if it is false.

1. È vero.   Non è vero.   3. È vero.   Non è vero.

2. È vero.   Non è vero.   4. È vero.   Non è vero.

I. The present conditional

A. *Listen to the model sentence. Then form a new sentence by substituting the given subject. Repeat the response after the speaker.*

Esempio: Io prenderei un caffè. (tu) *Tu prenderesti un caffè.*

1. .....   2. .....   3. .....   4. .....   5. .....

B. *Where would the following people go? Form new sentences using the cue. Then repeat the response after the speaker.*

Esempio: (Carlo / al mare) *Carlo andrebbe al mare.*

1. .....   2. .....   3. .....   4. .....

C. *You like your friend Tommaso, but he is far from perfect. Would you tell him what his flaws are to improve your relationship? Form sentences using the cue and following the example.*

Esempio: È curioso. (sì / no) *Glielo direi.* or *Non glielo direi.*

1. .....   2. .....   3. .....   4. .....

D. *At what time would the following people get up? Form a new sentence using the cue. Then repeat the response after the speaker.*

Esempio: (io / alle dieci) *Io mi alzerei alle dieci.*

1. .....   2. .....   3. .....   4. .....

E. *What would the following people eat? Form a new sentence using the suggested cues. Then repeat the response after the speaker.*

Esempio: (io / una pizza) *Io mangerei una pizza.*

1. .....   2. .....   3. .....   4. .....

II. The conditional perfect

A. *Last summer you and your family were walking down a street in Rome when you saw that a boutique was having a sale. Say what you would have bought if you had had the money.*

Esempio: (io / una camicetta) *Io avrei comprato una camicetta.*

1. ..... 2. ..... 3. ..... 4. ..... 5. .....

B. *Listen to the model sentence. Then form a new sentence using the given subject. Repeat each phrase after the speaker.*

Esempio: Io sarei venuto. (Roberta) *Roberta sarebbe venuta.*

1. ..... 2. ..... 3. ..... 4. ..... 5. .....

C. *Listen to the model sentence. Create new sentences using the given subject. Then repeat the response after the speaker.*

Esempio: Io non mi sarei divertito. (Anna)
          Anna non si sarebbe divertita.

1. ..... 2. ..... 3. ..... 4. ..... 5. .....

III. Meanings of *dovere*, *potere*, and *volere* in the conditional

A. *Make each statement less forceful by changing the verb from the present to the conditional. Then repeat the response after the speaker.*

1. Esempio: Io devo studiare di più. *Io dovrei studiare di più.*

....

2. Esempio: Puoi farmi un favore? *Potresti farmi un favore?*

....

3. Esempio: Voglio andare in vacanza. *Vorrei andare in vacanza.*

....

B. *Listen to the model sentence. Then form a new sentence by substituting the given subject. Repeat each response after the speaker.*

Esempio: Avrei dovuto studiare di più. (Giulia)
          Giulia avrebbe dovuto studiare di più.

1. ..... 2. ..... 3. ..... 4. ..... 5. .....

IV. Irregular plurals (1)

Give the plural of each noun and adjective. Repeat the response after the speaker.

1. Esempio: (cuoco) *cuochi*

   ....

2. Esempio: (medico) *medici*

   ....

3. Esempio: (luogo) *luoghi*

   ....

LISTENING COMPREHENSION

Listen to the following passage, then answer the questions that follow. Repeat each response after the speaker.

1. .....   2. .....   3. .....   4. .....   5. .....

DICTATION

The speaker will read a short passage three times. First, listen carefully. The second time, write what you hear. The third time, check what you have written.

_____

_____

_____

_____

_____

_____

_____

_____

PART TWO: ESERCIZI SUPPLEMENTARI

I. The present conditional

    A. *Complete each sentence in the conditional.*

       Esempio: (mangiare) Noi *mangeremmo* un panino.

       1. (uscire) Io _____ ma non posso.

       2. (scrivere) Noi _____ ma non abbiamo l'indirizzo.

       3. (piacere) Vi _____ lavorare in una banca?

       4. (andare) Noi _____ al cinema ma non ci sono film interessanti.

       5. (stare) Tu _____ a casa volentieri, perchè piove.

       6. (fare) Io _____ l'ingegnere, ma non mi piace la matematica.

       7. (vivere) I miei genitori _____ volentieri in campagna.

       8. (venire) Tu _____ con me questa sera?

       9. (essere) Io _____ contento di andare alle Hawaii.

      10. (avere) Tu _____ il tempo di telefonarmi?

    B. *Use the cue to state what the following people would do in each circumstance.*

       Esempio: Luigi e Pino hanno fame. (mangiare una pizza)
                Luigi e Pino mangerebbero una pizza.

       1. Teresa è in ritardo. (scusarsi)

       _____

       2. Il mio padrone di casa aumenta (*increases*) l'affitto. (io, protestare)

       _____

       3. Noi troviamo un portafoglio. (portarlo alla polizia)

       _____

4. Tu hai sonno. (andare a dormire)

_____

5. Stefano è milionario. (fare il giro del mondo)

_____

6. Noi diamo una festa. (invitare tutti gli amici)

_____

7. Dobbiamo partire alle sei di mattina. (alzarci presto)

_____

8. Luigi ha preso un brutto voto. (studiare di più)

_____

II. The conditional perfect

You know your friends quite well. Indicate what each person would have done in the following circumstances.

Esempio: La macchina non funzionava. (Franco / comprare un macchina nuova)
    Franco avrebbe comprato una macchina nuova.

1. La banca era chiusa. (Teresa / aspettare un'ora)

_____

2. Giovanni era ammalato. (i suoi compagni / chiamare il dottore)

_____

3. I treni erano in sciopero (*strike*). (noi / non partire)

_____

4. Lisa dava una festa. (le compagne / venire)

_____

5. Tuo padre arrivava da Roma. (tu / andare alla stazione)

_____

III. Meanings of _dovere_, _potere_, and _volere_ in the conditional

    A. <u>Cosa dovrebbero fare?</u> *What should these people do to solve their problems?*

       Esempio: Teresa ha una F in italiano. (studiare di più)
               Dovrebbe studiare di più.

       1. Carlo e Gino sono sempre senza soldi. (spendere meno)

       _____

       2. Io arrivo in classe in ritardo. (alzarsi presto)

       _____

       3. Tu e io mangiamo troppo. (mangiare meno)

       _____

       4. Le due amiche non si parlano. (parlarsi)

       _____

    B. <u>Cosa vorrebbero fare?</u> *If these people could have one wish granted, what would they want?*

       Esempio: il professore d'italiano (andare in pensione)
               Il professore d'italiano vorrebbe andare in pensione.

       1. gli studenti (imparare senza studiare)

       _____

       2. io (diventare milionario)

       _____

       3. tu e io (fare un viaggio in Oriente)

       _____

       4. tu (avere una villa in Riviera)

       _____

C. <u>Che cosa avrebbero dovuto fare?</u> *Indicate what the following people should have done to avoid their mistakes.*

Esempio: Carlo ha avuto un incidente. (guidare con prudenza)
Avrebbe dovuto guidare con prudenza.

1. Ho perduto il portafoglio. (fare attenzione)

_____

2. Io e Gianna abbiamo litigato. (essere più tolleranti)

_____

3. I miei amici hanno perduto il treno. (arrivare prima alla stazione)

_____

4. Sono arrivato a scuola in ritardo. (alzarti prima)

_____

IV. Irregular plurals (1)

Change each phrase to the plural.

Esempio: (un cuoco simpatico) *dei cuochi simpatici*

1. un medico ricco _____

2. un orologio antico _____

3. un chirurgo antipatico _____

4. un amico ottimista _____

5. uno studio classico _____

6. un ufficio largo _____

7. un parco antico _____

8. un lungo addio _____

COMPOSIZIONE SCRITTA

Lei cerca un lavoro. Scriva (*write*) un breve curriculum spiegando (*explaining*) che tipo di lavoro desidera, che cosa sa fare e dove ha fatto esperienza.

16

PART ONE: LABORATORIO

DIALOGUE

Listen to the dialogue as you read along.

Un viaggio in pallone

Tina e due suoi compagni di classe hanno studiato tutto il pomeriggio la geografia. Ora si riposano e parlano dei loro *sogni*.

Marco Sapete cosa mi piacerebbe fare? Mi piacerebbe fare un viaggio in *pallone*.

Pio In pallone?

Marco Sì, mi piacerebbe *sorvolare* l'oceano in pallone. Dovete ammettere che sarebbe più interessante di un viaggio in aereo, perchè in aereo non si può vedere molto.

Pio Veramente sorvolare l'oceano, mi farebbe paura. Ma piacerebbe anche a me vedere *dall'alto* valli e pianure, colline, fiumi e laghi.

Tina Sì, è vero, un viaggio in pallone sarebbe un viaggio interessantissimo. Più interessante di *qualsiasi* altro viaggio.

Marco Il libro di Giulio Verne *Il giro del mondo in ottanta giorni* mi ha sempre affascinato.

Tina Chissà, forse un giorno potremo farlo anche noi. Mi piacerebbe moltissimo.

Pio Ragazzi, per il momento dobbiamo finire di studiare la nostra geografia!

Questions

Listen to each statement about the dialogue. Circle <u>È vero</u> if the statement is true, and <u>Non è vero</u> if it is false.

1. È vero.   Non è vero.   3. È vero.   Non è vero.

2. È vero.   Non è vero.   4. È vero.   Non è vero.

I. The comparatives

   A. *Listen to the model sentence. Then form a new sentence by substituting
      the cue and making all necessary changes.*

      1. Esempio: Ho tanti amici quanto te. (sorelle)
                   Ho tante sorelle quanto te.

         ....

      2. Esempio: Tu sei più elegante di me. (lui) *Lui è più elegante di me.*

         ....

      3. Esempio: Papà ascolta meno pazientemente della mamma. (voi)
                   Voi ascoltate meno pazientemente della mamma.

         ....

      4. Esempio: Firenze è più bella di quel che tu pensi. (lui)
                   Firenze è più bella di quel che lui pensa.

         ....

   B. *Jane's brother is asking her questions about Italy. Answer each ques-
      tion, following the example. Then repeat the response after the speaker.*

      Esempio: New York è antica come Roma?
                No, New York è meno antica di Roma.

      1. .....   2. .....   3. .....   4. .....   5. .....   6. .....

II. The superlatives

   A. *Listen to the model sentence. Then form a new sentence by substituting
      the given adjective or noun, as indicated in the example. Make all
      necessary changes. Repeat the response after the speaker.*

      1. Esempio: Era la ragazza più simpatica della classe. (brava)
                   Era la ragazza più brava della classe.

         ....

      2. Esempio: L'isola è popolatissima. (il territorio)
                   Il territorio è popolatissimo.

         ....

B. *Gina's parents are always asking her questions about her girlfriends. Re-create each question, using the given adjective. Then repeat the response after the speaker.*

Esempio: (giovane) *Chi è la più giovane del gruppo?*

1. .....   2. .....   3. .....   4. .....   5. .....

C. *Express agreement by using the absolute superlative. Follow the example. Then repeat the response after the speaker.*

Esempio: È il chirurgo più bravo dell'ospedale. *Sì, è bravissimo.*

1. .....   2. .....   3. .....   4. .....   5. .....   6. .....

III. Irregular comparatives and superlatives

A. *Imagine that you are new in town and are asking about the best places. Use the cue and follow the example to make each statement. Then repeat the response after the speaker.*

Esempio: (ristorante) *Qual è il migliore ristorante della città?*

1. .....   2. .....   3. .....   4. .....   5. .....

B. *Tiziana is depressed and is developing an inferiority complex, which becomes evident in her conversation with friends. Use the cue and follow the example to re-create each statement. Then repeat the response after the speaker.*

Esempio: (macchina) *La mia macchina è peggiore della tua.*

1. .....   2. .....   3. .....   4. .....

C. *Change each sentence by substituting an irregular comparative or superlagive for the regular form. Then repeat the response after the speaker.*

Esempio: È il momento più cattivo. *È il momento peggiore.*

1. .....   2. .....   3. .....   4. .....   5. .....   6. .....   7. .....

D. *Lucio and Piero are extremely competitive, and their conversation shows it. Re-create Piero's reaction to Lucio's statements, according to the example. Then repeat the response after the speaker.*

1. Esempio: Tu hai giocato peggio di me. *No, io ho giocato meglio di te.*

....

2. Esempio: Tu hai lavorato meno di me. *No, io ho lavorato più di te.*

     ....

IV. Uses of the definite article

A. *Today you are finding everything difficult. Use the cue and follow the example to form each statement. Then repeat the response after the speaker.*

Esempio: (vita) *La vita non è facile.*

1. .....   2. .....   3. .....   4. .....   5. .....

B. *Ask your friend about his preferences. Start each question with* Preferisci *and complete it by using the cues. Then repeat the response after the speaker.*

Esempio: (tè / caffè) *Preferisci il tè o il caffè?*

1. .....   2. .....   3. .....   4. .....   5. .....   6. .....

C. *Pierino is taking a geography test. Use the cue and follow the examples to re-create each answer. Then repeat the response after the speaker.*

Esempio: (Francia / Europa) *La Francia è in Europa.*
          (Francia / Europa occidentale) *La Francia è nell'Europa*
                                      occidentale.

1. .....   2. .....   3. .....   4. .....   5. .....   6. .....   7. .....

LISTENING COMPREHENSION

Listen to the following paragraph, then answer the questions that follow. Repeat each response after the speaker.

1. .....   2. .....   3. .....   4. .....   5. .....

DICTATION

The speaker will read a short passage three times. First, listen carefully. The second time, write what you hear. The third time, check what you have written.

_____

_____

_____

_____

_____

_____

PART TWO: ESERCIZI SUPPLEMENTARI

I. The comparatives

A. *Compare the following people, places, and things, using* tanto . . . quanto, *così . . . come,* più . . . di, *or* meno . . . di *and the appropriate form of the adjective in parentheses.*

1. Il fiume Hudson / il fiume Mississippi (lungo)

_____

2. I treni / le macchine (veloce)

_____

3. Il clima di Chicago / il clima di New York (attraente)

_____

4. L'Italia / la Svizzera (*Switzerland*) (popolato)

_____

5. Le donne brune / le donne bionde (interessante)

_____

6. Un dottore / un professore (ricco)

_____

7. I gatti / i cani (fedele [*faithful*])

_____

B. *Restate each sentence, using a comparative and the element in parentheses.*

Esempio: Il professore parla rapidamente. (io)
          Il professore parla più rapidamente di me.

1. I nonni camminano lentamente. (i nipotini)

_____

2. Gli Americani votano spesso. (gli Italiani)

_____

3. Le indossatrici (*models*) si vestono elegantemente. (le studentesse)

_____

4. Dicono che gli Italiani guidano (*drive*) pericolosamente.
   (gli Americani)

_____

C. *Answer each question according to the example.*

Esempio: È ottimista o pessimista Lei?
          Sono più ottimista che pessimista. or
          Sono più pessimista che ottimista.

1. È bello(a) o simpatico(a)?

_____

2. È romantico(a) o pratico(a)?

_____

3. È ricco(a) di soldi o di sogni (*dreams*)?

_____

4. Le piacerebbe vivere in Italia o in Svizzera?

_____

5. Le piacerebbe visitare la Spagna o il Portogallo?

_____

II. The superlatives

A. *Answer each question using the cue and following the example.*

Esempio: È un campanile molto alto? (città)
          È il campanile più alto della città.

1. È una ragazza seria? (gruppo)

_____

2. È una macchina economica? (Stati Uniti)

_____

3. È un ristorante caro? (città)

_____

4. Sono dei bambini tranquilli? (scuola)

_____

5. È un lavoro faticoso?   (giornata)

_____

6. È un gran giorno questo? (mia vita)

_____

7. Sono dei bei ricordi (*memories*)?   (liceo)

_____

8. È lungo il fiume Po? (fiumi italiani)

_____

B. *Complete each sentence according to the example.*

Esempio: È una scelta difficile; anzi(*indeed*), *difficilissima.*

1. Ho conosciuto un ragazzo simpatico; anzi, _____.

2. Mi piace il tè dolce; anzi, _____.

3. Lui fa un mestiere semplice; anzi, _____.

4. Lei si è alzata presto; anzi, _____.

5. Vengono a trovarci spesso; anzi, _____ .

6. Mi hanno detto che è ricco; anzi, _____ .

7. È una donna giovane; anzi, _____ .

8. La nostra penisola è bella; anzi, _____ .

9. Le eruzioni (*eruptions*) dell'Etna sono pericolose; anzi,

_____ .

III. Irregular comparatives and superlatives

A. *Complete each sentence by using* migliore, peggiore, maggiore, *or* minore.

1. È Natale, ma Dino Ricci è disoccupato; per lui è il _____

   periodo dell'anno.

2. Marino ha ventitrè anni e Marta ne ha diciotto: Marta è

   _____ di Marino di cinque anni.

3. Tutti considerano Dante il _____ scrittore italiano.

4. Liliana è una studentessa che ha ricevuto tutti A, cioè i voti

   _____ .

5. Ho tante preoccupazioni, ma questa non è certamente la più grave; è

   anzi la _____ .

6. Sono il più giovane della famiglia; ho tre sorelle _____ ,

   tutte sposate.

7. Tutti conoscono la gelateria Priori: è la _____ della

   città.

8. Quali sono i posti _____ per fare il campeggio?

B. *Complete each sentence with* meglio, peggio, di più, *or* di meno.

1. Dopo alcune ore di riposo dovrei stare _____ e invece

   sto _____ di prima.

2. Lo vediamo tutti i giorni in piscina: è inutile domandargli quale

   sport gli piace _____ .

3. Il pover'uomo vorrebbe lavorare _____, ma deve invece

   guadagnare _____, perchè ha tre figli all'università.

4. Se studiate _____, sono sicuro che imparerete

   qualcosa.

5. Siete d'accordo con il proverbio che dice: "È _____

   vivere un giorno da leone che cent'anni da pecora (*sheep*)"?

C. *Write the response to each statement, using the absolute superlative of the underlined adjective.*

   Esempio: Mi sembra una buona occasione.
   Hai ragione! È un'ottima occasione!

1. Non vorrei vivere nella pianura Padana: il clima è troppo cattivo.

   _____

2. Devo dire che Luisa è una brava ragazza.

   _____

3. Quel ragazzo mostra la più grande indifferenza per tutto.

   _____

4. Si mangia bene in questa trattoria!

   _____

5. Questi spaghetti sono veramente buoni.

   _____

6. Si guadagna poco nella professione dell'insegnamento.

   _____

D. *Say what the following people should do, using either* il più possibile *or* il meno possibile, *according to the context of each.*

Esempio: Ogni volta che mangia, Maria sta male.
         Dovrebbe mangiare il meno possibile.

1. Tutte le volte che parla, Pietro dice delle sciocchezze (*silly things*).

   _____

2. Mirella è sempre distratta e non ascolta mai gli altri.

   _____

3. Filippo non studia e non sa se riuscirà all'esame che avrà fra alcuni giorni.

   _____

IV. Uses of the definite article

   Complete each sentence using the definite article (with or without preposition).

1. Ti piacciono _____ film con Jack Nicholson?

2. È vero che _____ salute e _____ buon senso sono le cose

   più importanti del mondo?

3. _____ violenza sembra essere uno dei temi preferiti _____

   televisione americana.

4. Sei in favore _____ servizio militare per _____ donne?

5. —Quand'è il tuo compleanno? —È _____ 26 aprile.

6. Jane è nata _____ 1945, _____ Kansas.

7. Andremo tutti a Roma _____ quindici di questo mese.

8. _____ primavera è la stagione più bella dell'anno.

9. I bambini si sono lavati _____ faccia.

10. —Ti piacciono _____ bambini? —Sì, moltissimo.

11. La ragazza aveva _____ occhi blu e _____ capelli biondi.

12. Madrid è la capitale _____ Spagna.

13. Tim viene _____ Stati Uniti, e precisamente, _____

   California.

168

14. In autunno visiteremo _____ Massachusetts e _____ Vermont.

15. _____ Giappone è un paese molto industriale.

COMPOSIZIONE SCRITTA

Descriva la geografia del Suo stato o dello stato che conosce meglio. Dove si trova? Quali sono gli stati che lo circondano (*surround it*)? Quali ne sono le caratteristiche fisiche, il clima, ecc.?

17

PART ONE: LABORATORIO

DIALOGUE

Listen to the dialogue as you read along.

Giovani sportivi

Marisa ha incontrato Alberto, un ragazzo *con cui* suo fratello faceva dello sport alcuni anni fa.

Marisa Come va, Alberto? Sempre appassionato di pallacanestro?

Alberto Più che mai! Ho appena finito di giocare contro la squadra torinese.

Marisa E chi ha vinto la partita?

Alberto La mia squadra, naturalmente! Il nostro gioco è stato migliore. E poi, siamo più alti; cosa che aiuta, *non ti pare?*

Marisa Eh, direi!

Alberto E voi, *niente di* nuovo?

Marisa No, *nessuna novità,* almeno per me. Ma mio fratello ha ricevuto una lettera, *in cui* gli offrono un posto come istruttore sportivo per l'estate prossima.

Alberto E dove lavorerà?

Marisa In uno dei villaggi turistici della Calabria.

Alberto Magnifico! Là potrà praticare tutti gli sport che piacciono a lui, *compresi* lo sci acquatico e il surfing.

Marisa Eh, sì. Il surfing è uno degli sport di maggior successo oggi.

Alberto Ma tu, con un fratello così attivo negli sport, non ne pratichi *qualcuno?*

Marisa Certo, ma sono gli sport per poveri. Faccio del footing e molto ciclismo. Chissà, un giorno forse parteciperò al Giro d'Italia per donne.

Questions

Listen to each statement about the dialogue. Circle Ė vero *if the statement is true, and* Non è vero *if it is false.*

1. Ė vero.   Non è vero.   3. Ė vero.   Non è vero.

2. Ė vero.   Non è vero.   4. Ė vero.   Non è vero.

I. Relative pronouns

A. *Listen to the model sentence. Then form a new sentence by substituting the given noun. Repeat the response after the speaker.*

   1. Esempio: Dov'è il libro che ti ho dato? (la penna)
               Dov'è la penna che ti ho dato?

     ....

   2. Esempio: Ecco l'amico che abita a Firenze. (gli amici)
               Ecco gli amici che abitano a Firenze.

     ....

B. *You traveled on the same train as the soccer team. When your friend meets you at the station, you point out the members of the team. Repeat the correct response after the speaker.*

Esempio: Questi sono i giocatori con cui ho viaggiato. (l'allenatore)
         Questo è l'allenatore con cui ho viaggiato.

1. .....   2. .....   3. .....   4. .....

C. *You are finally in Rome. Ask your friend to show you the sights he told you about. Then repeat the question after the speaker.*

Esempio: Dov'è il castello di cui mi hai parlato? (la piazza)
         Dov'è la piazza di cui mi hai parlato?

1. .....   2. .....   3. .....   4. .....

D. *Listen to the model sentence. Then form a new sentence by replacing* cui *with* il quale, la quale, i quali, *or* le quali. *Repeat each response after the speaker.*

Esempio: La ragazza con cui esco è milanese.
         La ragazza con la quale esco è milanese.

1. .....   2. .....   3. .....   4. .....   5. .....

E. *Answer each question in the negative, using* quello che *or* ciò che. *Then repeat the response after the speaker.*

Esempio: Che cosa ha detto Maria? *Non so quello che ha detto.*

1. ..... 2. ..... 3. .....

II. Indefinite pronouns

A. *Change each phrase by replacing the partitive with* qualche *and making the necessary changes. Then repeat the response after the speaker.*

Esempio: Abbiamo degli amici. *Abbiamo qualche amico.*

1. ..... 2. ..... 3. ..... 4. .....

B. *Your friend Marco is asking if you know some of the following people. Answer using* alcuni *or* alcune. *Then repeat the response after the speaker.*

Esempio: Conosci qualche giocatore di calcio?
Sì, conosco alcuni giocatori di calcio.

1. ..... 2. ..... 3. ..... 4. .....

C. *Tell what the following people do. Then repeat the response after the speaker.*

Esempio: Chi è un venditore? (vende) *È qualcuno che vende.*

1. ..... 2. ..... 3. ..... 4. .....

D. *Listen to the model sentence. Then form a new sentence by substituting the cue. Then repeat the response after the speaker.*

Esempio: Ho qualcosa da dirti. (chiederti) *Ho qualcosa da chiederti.*

1. ..... 2. ..... 3. ..... 4. .....

E. *Answer each question by using* chiunque. *Then repeat the response after the speaker.*

Esempio: Chi può venire alla festa? *Chiunque può venire alla festa.*

1. ..... 2. ..... 3. ..... 4. .....

F. *Change each sentence by substituting* tutti *or* tutte *for* ogni *and making the necessary changes.*

Esempio: Lavoro ogni giorno. *Lavoro tutti i giorni.*

1. ..... 2. ..... 3. ..... 4. .....

III. Negatives

A. *Answer each question in the negative using* nessuno. *Then repeat the response after the speaker.*

Esempio: Ha telefonato qualcuno? *Non ha telefonato nessuno.*

1. ..... 2. ..... 3. ..... 4. ..... 5. .....

B. *Lisa wants to know what you did during your vacation, but unfortunately you did nothing. Answer each question in the negative. Then repeat the response after the speaker.*

Esempio: Hai fatto qualcosa? *Non ho fatto niente.*

1. ..... 2. ..... 3. ..... 4. .....

C. *Not many people came to Jim's party because he sent the invitations too late. Tina wants to know who was there. Respond to each question, following the example. Repeat the response after the speaker.*

Esempio: È venuto Tommaso? *Non è venuto neanche Tommaso.*

1. ..... 2. ..... 3. ..... 4. .....

D. *Luisa and Patrizia lived in Europe for six months. Jim wants to know if they did the following things. Answer in the negative using* non...mai. *Then repeat the response after the speaker.*

Esempio: Siete andate in treno? *Non siamo mai andate in treno.*

1. ..... 2. ..... 3. ..... 4. .....

E. *Giuseppe wants to know what you plan to do this weekend. Answer in the negative using* nè...nè. *Then repeat the response after the speaker.*

Esempio: Andrai a ballare o al cinema?
         Non andrò nè a ballare nè al cinema.

1. ..... 2. ..... 3. ..... 4. .....

LISTENING COMPREHENSION

Listen to the following passage, then answer the questions that follow. Repeat each response after the speaker.

1. ..... 2. ..... 3. ..... 4. ..... 5. .....

DICTATION

The speaker will read the dictation three times. First, listen carefully. The second time, write what you hear. The third time, check what you have written.

_____

_____

_____

_____

_____

_____

_____

_____

_____

PART TWO: ESERCIZI SUPPLEMENTARI

I. Relative pronouns

A. *Complete each sentence with the pronoun* che.

1. Ecco la ragazza _____ Pietro conosce.

2. Dove sono i libri _____ ti ho prestato?

3. Nel giornale c'è la foto della squadra _____ ha vinto.

4. Questa è la casa _____ abbiamo venduto.

5. Ti ringrazio del regalo _____ mi hai mandato.

B. *Complete each sentence, using* cui *and the appropriate preposition.*

Esempio: Ecco la ragazza *con cui* Pietro esce.

1. Questo è il libro _____ ti parlavo.

2. Sono gli amici _____ noi andiamo a sciare.

3. Ti dirò le ragioni _____ voglio partire.

4. Milano è la città _____ Lorenzo viene.

5. Ecco la casa _____ abbiamo abitato per dieci anni.

6. Franco è l'amico _____ ho telefonato.

7. Ecco il professore _____ devo parlare.

8. Come si chiama la ragazza _____ Gino esce?

C. *Replace* cui *with* il quale, la quale, i quali, le quali.

Esempio: Questa è la ragazza di cui ti ho parlato.
           Questa è la ragazza della quale ti ho parlato.

1. Giovanni è il ragazzo con cui esco.

_____

2. Ti ho spiegato le ragioni per cui voglio partire.

_____

3. Conosci il ragazzo a cui ho prestato un libro?

_____

4. Come si chiama la signorina con cui sei uscito ieri?

_____

5. Ecco il professore di cui parlavamo.

_____

6. Dove abitano gli amici con cui andate a sciare?

_____

D. *You are leaving for Italy, and Lina is asking you about your plans.*
   Answer using quello che, *according to the example.*

   Esempio: Sai cosa farai in Italia? *So quello che farò.*

   1. Sai cosa vedrai? _____

   2. Sai cosa visiterai? _____

   3. Sai cosa comprerai? _____

   4. Sai cosa mangerai? _____

II. Indefinite pronouns

   A. *Gianni wants to know if you met some of the following people while you*
      were in Europe. Answer by replacing qualche *with* alcuni *or* alcune.

      Esempio: Hai conosciuto qualche attore famoso?
                Sì, ho conosciuto alcuni attori famosi.

      1. Hai conosciuto qualche attrice famosa?

      _____

      2. Hai conosciuto qualche ambasciatore?

      _____

      3. Hai conosciuto qualche principessa?

      _____

      4. Hai conosciuto qualche atleta famoso?

      _____

   B. *Answer each question by using* qualcuno che *and the cue.*

      Esempio: Chi è un atleta? (fa dello sport)
                È qualcuno che fa dello sport.

      1. Chi è un ciclista? (corre in bicicletta)

      _____

      2. Chi è un tifoso? (è appassionato di sport)

      _____

3. Chi è un giocatore? (gioca una partita)

_____

4. Chi è un allenatore? (allena gli atleti)

_____

C. *Answer each question by using* qualcosa *and the adjective in parentheses.*

   Esempio: Che cosa hai fatto? (bello) *Ho fatto qualcosa di bello.*

   1. Che cosa hai mangiato? (buono)

_____

   2. Che cosa hai letto? (interessante)

_____

   3. Che cosa hai ascoltato? (divertente)

_____

   4. Che cosa hai visto? (bello)

_____

D. *Complete each sentence with one of the following words:* quello che,
   ognuno, tutti, qualunque, ogni, chiunque, tutto.

   1. Andate all'università _____ i giorni?

   2. Puoi venire a casa mia _____ giorno.

   3. _____ volta che il professore mi incontra, mi saluta.

   4. Ora so _____ dobbiamo fare!

   5. Ieri ho studiato _____ il giorno.

   6. Abbiamo invitato _____ gli amici.

   7. _____ può venire alla mia festa.

   8. _____ ha il diritto di essere felice.

III. Negatives

    A. *Answer each question in the negative, using* <u>niente</u> *or* <u>nessuno</u>.

        Esempio: Chi hai visto oggi? *Non ho visto nessuno.*
                  Cosa hai mangiato? *Non ho mangiato niente.*

        1. Chi è venuto? _____

        2. Cosa hai comprato? _____

        3. Con chi hai parlato? _____

        4. Cosa hai dimenticato? _____

        5. Chi hai incontrato al caffè? _____

        6. Cosa hai detto? _____

    B. *Your roommate is accusing you of being forgetful. Defend yourself by saying you never did the things you are accused of doing.*

        Esempio: Tu dimentichi sempre le chiavi!
                Io non ho mai dimenticato le chiavi!

        1. Tu lasci sempre la porta aperta!

        _____

        2. Tu perdi sempre le chiavi di casa!

        _____

        3. Tu fai delle telefonate di un'ora!

        _____

        4. Tu chiudi fuori il gatto!

        _____

        5. Tu paghi il conto del telefono in ritardo!

        _____

COMPOSIZIONE SCRITTA

Descriva uno sport che Le piace: da quanto tempo lo pratica (*you have been doing it*), dove, con chi, di cosa ha bisogno per praticarlo, e perchè Le piace.

18

PART ONE: LABORATORIO

DIALOGUE

Listen to the dialogue as you read along.

Dalla dottoressa

Signor Pini	Buon giorno, dottoressa.
La dottoressa	Buon giorno, signor Pini, come andiamo oggi?
Signor Pini	Eh, non molto bene, purtroppo. Ho mal di testa, un terribile *raffreddore* e la *tosse*.
La dottoressa	Ha anche la *febbre*?
Signor Pini	Sì, ho misurato la febbre: ho trentanove.
La dottoressa	Sì, vedo che Lei ha una bella influenza. Lei ha ancora gli antibiotici che Le *diedi* qualche mese fa?
Signor Pini	No, li ho finiti.
La dottoressa	Allora Le scrivo una *ricetta* per alcune *iniezioni*. Sono le stesse che Le diedi l'altra volta.
Signor Pini	E per la tosse? La notte non posso dormire *per via* della tosse.
La dottoressa	Per la tosse prenderà questa medicina.
Signor Pini	*Mi fanno male* anche le spalle, le braccia e le gambe.
La dottoressa	È l'effetto dell'influenza. Vedrà che in due o tre giorni starà meglio.
Signor Pini	Se non morirò prima...
La dottoressa	Che *fifone!* Lei è *sano come un pesce!*

Questions

Listen to each statement about the dialogue. Circle È vero if the statement is true and Non è vero if it is false.

1. È vero.   Non è vero.   3. È vero.   Non è vero.

2. È vero.   Non è vero.   4. È vero.   Non è vero.

I. The *passato remoto*

A. *Listen to the model sentence. Then form a new sentence by substituting the given subject and making all necessary changes. Then repeat the response after the speaker.*

1. Esempio: Io non parlai a nessuno. (lui) *Lui non parlò a nessuno.*

   ....

2. Esempio: Io partii a mezzanotte. (Marco) *Marco partì a mezzanotte.*

   ....

3. Esempio: Io fui malato dieci giorni. (loro)
   Loro furono malati dieci giorni.

   ....

4. Esempio: Io ebbi l'influenza. (tu) *Tu avesti l'influenza.*

   ....

B. *Transform each sentence by changing* io *to* Anche loro *and making the necessary changes. Then repeat the response after the speaker.*

Esempio: Bevvi dell'acqua. *Anche loro bevvero dell'acqua.*

1. .....   2. .....   3. .....   4. .....   5. .....   6. .....

7. .....   8. .....

C. *Change each sentence by starting it with* Neanche lui, *as in the example. Then repeat the response after the speaker.*

Esempio: Tu non dormisti. *Neanche lui dormì.*

1. .....   2. .....   3. .....   4. .....   5. .....   6. .....

7. .....   8. .....

D. *A friend is asking if you have ever done the following things. Say that you did them some years ago. Use the* passato remoto, *as in the example. Then repeat the response after the speaker.*

Esempio: Hai mai visitato il Messico? *Sì, lo visitai alcuni anni fa.*

1. .....   2. .....   3. .....   4. .....   5. .....   6. .....

II. The _trapassato remoto_

Listen to the model sentence. Then form a new sentence by substituting the given verb form and making all necessary changes. Repeat the response after the speaker.

1. Esempio: Dopo che ebbi parlato, uscii. (avesti parlato)
   Dopo che avesti parlato, uscisti.

   ....

2. Esempio: Appena fu uscito, noi mangiammo. (noi studiammo)
   Appena fu uscito, noi studiammo.

   ....

III. Irregular plurals (2)

A. _Imagine that you are at the doctor's. Say which parts of your body are aching by answering each question in the plural, as in the example. Then repeat the response after the speaker._

   Esempio: Le fa male il braccio? _Mi fanno male le braccia._

   1. ..... 2. ..... 3. ..... 4. ..... 5. .....

B. _Give the plural of each phrase. Then repeat the phrase after the speaker._

   Esempio: l'uovo di Pasqua _le uova di Pasqua_

   1. ..... 2. ..... 3. ..... 4. ..... 5. ..... 6. .....

   7. ..... 8. .....

C. _Give the singular of each phrase. Then repeat the phrase after the speaker._

   Esempio: le analisi di laboratorio _l'analisi di laboratorio_

   1. ..... 2. ..... 3. ..... 4. ..... 5. ..... 6. .....

   7. ..... 8. ..... 9. .....

LISTENING COMPREHENSION

Listen to the following paragraph, then answer the questions that follow. Repeat each response after the speaker.

   1. ..... 2. ..... 3. ..... 4. ..... 5. .....

DICTATION

The speaker will read a short passage three times. First, listen carefully.
The second time, write what you hear. The third time, check what you have
written.

_____

_____

_____

_____

_____

_____

_____

_____

PART TWO: ESERCIZI SUPPLEMENTARI

I. The *passato remoto*

A. *Rewrite each sentence, substituting the subject in parentheses and making*
the necessary changes.

1. Fece colazione; poi si alzò e uscì. (loro)

_____

2. Incominciai gli studi universitari nel 1972 e diedi l'esame di laurea
cinque anni dopo. (tu)

_____

_____

3. Quando noi vedemmo la prima operazione, stemmo male e decidemmo di
non continuare gli studi di medicina. (voi)

_____

_____

4. Nacque in Irlanda, ma venne in America da bambino. (io)

_____

5. Arrivai sui campi di neve, mi misi a sciare, caddi e mi ruppi una gamba. (lei)

_____

_____

6. Quando fui in Francia, vissi con una famiglia francese, e conobbi molta gente del luogo. (noi)

_____

_____

7. Non lessi il libro neanche una volta, e il giorno dell'esame non seppi rispondere a niente. (loro)

_____

_____

8. Scrissero la lettera, la chiusero, e la portarono alla posta. (io)

_____

_____

B. *State what you did five years ago, using the* passato remoto. *Start the first sentence with* Cinque anni fa io . . .

1. andare in Calabria

_____

2. là essere ospite (*guest*) di amici italiani

_____

3. divertirsi molto con loro

_____

4. visitare diversi luoghi

_____

5. conoscere molti ragazzi simpatici

_____

185

6. fare del surfing con Giovanni

_____

7. un giorno mangiare troppe pesce

_____

8. stare molto male

_____

9. dovere andare dal medico

_____

10. ricevere la prima iniezione della mia vita

_____

C. *Change the verbs in the following paragraph from the* passato prossimo *to the* passato remoto.

L'anno scorso Bob (ha fatto) _____ un viaggio in Europa

perchè voleva visitarla. Quando (è arrivato) _____ in

Italia, (ha trovato) _____ che il paese era bello e che

la gente era cordiale. Così Bob (ha deciso) _____ di

restarci tutta l'estate, perchè l'Italia gli piaceva. (Ha affittato)

_____ a Firenze una camera che non gli costava molto.

Un giorno Bob (ha incontrato) _____ un ragazzo che si

chiamava Pietro. Insieme (hanno incominciato) _____ un

lungo viaggio attraverso l'Italia. Una mattina, mentre facevano

l'autostop, (hanno visto) _____ una bella ragazza bionda.

Bob e Pietro (si sono avvicinati) _____ e (hanno domandato)

_____ dove andava. Lei (ha risposto) _____

che desiderava visitare il paese. De quel momento i tre (hanno

continuato) _____ il viaggio insieme.

D. *Change the verbs in the following "storiella" to the past, choosing between the imperfect and the past absolute.*

Una sera, due innamorati (camminano) _____ per una via

deserta di una cittadina, quando, a un tratto, (vedono) _____

per terra il corpo di un uomo, morto. I due (telefonano)

_____ subito al commissariato e (informano)

_____ la polizia della loro scoperta. Dopo avere fatto

diverse ricerche, la polizia (viene) _____ a sapere

l'identità del morto. (È) _____ un certo Rossi, che

(abita) _____ in via. . . e che (ha) _____

moglie. Il tenente (manda) _____ allora uno dei suoi

agenti a casa della signora Rossi e gli (raccomanda) _____

di annunciarle la notizia con molto tatto. L'agente di polizia lo

(rassicura: *reassures*) _____ e (parte) _____.

Quando (arriva) _____ all'indirizzo dell signora,

(riflette) _____ un istante; poi soddisfatto, (suona:

rings) _____ alla porta. La povera donna (viene)

_____ in persona ad aprire. Lui allora le (dice)

_____ con un sorriso: —Abita qui la vedova (*widow*) Rossi?

II. The *trapassato remoto*

A. *Rewrite each sentence, substituting the subject in parentheses and making all necessary changes.*

1. Quando ebbe imparato a fare il surfing, andò ogni giorno alla spiaggia.
   (io)

   _____

   _____

2. Dopo che il medico lo ebbe visitato, gli disse che era sano come un pesce. (i medici)

_____

_____

3. Si sentì meglio solo quando fu uscito ed ebbe camminato un po'. (noi)

_____

_____

4. Dopo che ebbe fatto un altro esperimento, l'inventore festeggiò il successo. (gli inventori)

_____

_____

5. Appena si fu svestito, andò a letto. (io)

_____

6. Quando si fu allenato per un'ora, uscì. (noi)

_____

B. *Change each sentence from the future to the past, using the* passato remoto *and the* trapassato remoto.

Esempio: Quando avrò finito, mi riposerò. *Quando ebbi finito, mi riposai.*

1. Appena avrò preso un calmante, mi sentirò meglio.

_____

2. Quando l'infermiera sarà uscita, il malato potrà dormire.

_____

3. Appena avrete imparato il segreto della felicità, me lo direte.

_____

_____

4. Quando avrò ricevuto una sua cartolina, non mi preoccuperò più.

_____

_____

188

5. Appena l'aereo sarà partito, partiremo anche noi.

_____

C. *Complete each sentence by using either the* trapassato prossimo *or the* trapassato remoto *of the verb in parentheses.*

   Esempio: Mi riposai dopo che (finire) *ebbi finito* .
              Mi riposai perchè (finire) *avevo finito* .

1. Feci colazione dopo che (alzarsi) _____ .

2. Non feci colazione perchè (decidere) _____ di

   dimagrire.

3. Telefonammo alla polizia perchè (sentire) _____

   uno strano rumore nell'ingresso.

4. Dopo che (telefonare) _____, capimmo che era

   stato il gatto.

5. Dopo che il dottore mi (fare) _____ quella cura,

   mi sentii molto debole.

6. Mi sentii debole perchè quel giorno non (mangiare) _____

   niente.

7. Dopo che (giocare) _____ con la sua squadra,

   ritornò a casa.

8. Ritornò a casa molto tardi perchè (fermarsi) _____

   al bar con dei tifosi.

III. Irregular plurals (2)

Complete each sentence by supplying the plural of the word in parentheses. Remember to use the definite article when necessary.

Esempio: Guardo (programma) *i programmi* del canale 9.

1. Mi fanno male (braccio) _____, e mi fanno male anche

   (mano) _____.

2. Preferisco (poema) _____ di Ungaretti.

3. Non si può fare la frittata senza (uovo) _____.

4. Tra una città e l'altra ci sono venti (miglio) _____.

5. (diploma) _____ universitari sono ancora

   importanti.

6. L'Italia gode (*enjoys*) di una varietà di (clima) _____.

7. (crisi) _____ di quel malato sono sempre più rare.

8. (uomo) _____ americani non fanno distinzione fra il

   sesso forte e il sesso debole.

9. (moglie) _____ vogliono gli stessi diritti dei

   mariti.

10. (cinema) _____ sono tutti chiusi oggi.

COMPOSIZIONE SCRITTA

Secondo Lei, cosa dovrebbe fare, o non fare, uno che desidera stare in buona
salute? E Lei, che fa? Sta sempre bene, o è qualche volta ammalato(a)?
Quando, per esempio?

19

PART ONE: LABORATORIO

DIALOGUE

Listen to the dialogue as you read along.

Dal meccanico

Sig.na Meucci	Paolo, ha già controllato la mia macchina?
Paolo	Ma sicuro, signorina. È pronta da un'ora.
Sig.na Meucci	Spero che tutto *sia a posto.* Devo partire per Roma e non vorrei avere *noie* sull'autostrada.
Paolo	*Stia tranquilla,* signorina. Ho verificato tutto, anche i *freni* e le gomme.
Sig.na Meucci	E il motore?
Paolo	Aveva bisogno di una revisione, ma ora va come un orologio. Lo metta in moto e sentirà.
Sig.na Meucci	Bravo Paolo!
Paolo	*Non dimentichi* di fare il pieno. Non credo che *ci sia* più di un litro di benzina nel *serbatoio.*
Sig.na Meucci	Lo farò al primo distributore. Quanto Le devo?
Paolo	Vediamo... Centotrentamila lire in tutto.
Sig.na Meucci	Ecco a Lei.
Paolo	Grazie. Buon viaggio, signorina... e *mi saluti* San Pietro!

Questions

Listen to each statement about the dialogue. Circle È vero *if the statement is true, and* Non è vero *if it is false.*

1. È vero.   Non è vero.   3. È vero.   Non è vero.

2. È vero.   Non è vero.   4. È vero.   Non è vero.

I. The imperative

    A. *Invite some friends to do the following things using each cued verb,
as indicated in the example. Then repeat the response after the speaker.*

       Esempio: (entrare) *Entrate!*

       1. .....   2. .....   3. .....   4. .....

    B. *You invite Lucia to share with you each of the following activities.
Repeat the correct response after the speaker.*

       Esempio: (andare al cinema) *Andiamo al cinema!*

       1. .....   2. .....   3. .....

    C. *State what your doctor tells you to do. Then repeat the response after
the speaker.*

       Esempio: (entrare) *Entri!*

       1. .....   2. .....   3. .....   4. .....   5. .....

    D. *Tell your friend Alberto not to do the following things. Then repeat
the response after the speaker.*

       Esempio: (uscire stasera) *Non uscire stasera!*

       1. .....   2. .....   3. .....   4. .....   5. .....

    E. *Imagine that you are a driving instructor and are telling a student not
to do the following things. Use the polite form of the imperative.
Then repeat the response after the speaker.*

       Esempio: (accelerare) *Non acceleri!*

       1. .....   2. .....   3. .....   4. .....   5. .....

II. The imperative with pronouns

    A. *Your friend Pietro wants to eat everything in sight. Answer his ques-
tions, as in the example. Then repeat the response after the speaker.*

       Esempio: Posso mangiare la torta? *Mangiala!*

       1. .....   2. .....   3. .....   4. .....

    B. *Your absent-minded professor forgot many things today, so he asks if he
can borrow the following supplies. Respond to each question as in the
example. Then repeat the response after the speaker.*

       Esempio: Posso prendere la penna? *La prenda!*

       1. .....   2. .....   3. .....   4. .....

C. *Your roommate is going home for a few days and asks if he can take the following things home to his younger brother. Answer each question. Then repeat the response after the speaker.*

Esempio: Posso portare il libro a mio fratello? *Portaglielo!*

1. .....   2. .....   3. .....   4. .....   5. .....

D. *Your parents have gone away for the weekend, and you are in charge of your two younger brothers. Tell them what they have to do. Then repeat the response after the speaker.*

Esempio: (alzarsi) *Alzatevi!*

1. .....   2. .....   3. .....   4. .....

E. *Giovanni needs your advice, so you invite him to tell you what is on his mind. Then repeat the response after the speaker.*

Esempio: Posso dirti la mia opinione? *Dimmela!*

1. .....   2. .....   3. .....   4. .....

III. The present subjunctive

A. *Listen to the model sentence. Then form a new sentence by substituting the given noun or pronoun. Repeat the response after the speaker.*

1. Esempio: Voglio che tu parta. (lei) *Voglio che lei parta.*

....

2. Esempio: Sperano che tu ti diverta. (noi)
             Sperano che noi ci divertiamo.

....

B. *Express your regret that the following people cannot come to your party. Follow the example. Then repeat the response after the speaker.*

Esempio: Mi dispiace che tu non possa venire. (Anna)
             Mi dispiace che Anna non possa venire.

1. .....   2. .....   3. .....   4. .....

Listen to the following passage, then answer the questions that follow. Repeat each response after the speaker.

1. ..... 2. ..... 3. ..... 4. ..... 5. .....

DICTATION

The speaker will read a short passage three times. First, listen carefully. The second time, write what you hear. The third time, check what you have written.

_____

_____

_____

_____

_____

_____

_____

_____

_____

PART TWO: ESERCIZI SUPPLEMENTARI

I. The imperative

   A. *Invite your friends to do the following things with you.*

     Esempio: (andare al cinema) *Andiamo al cinema!*

     1. (fare colazione) _____

     2. (ascoltare dei dischi) _____

     3. (prendere un aperitivo) _____

     4. (giocare a tennis) _____

B. *Give the* _tu_ *form of the imperative in response to the following questions.*

Esempio: Posso venire domani? *Vieni!*

1. Posso uscire? _____

2. Posso entrare? _____

3. Posso stare? _____

4. Posso parlare? _____

5. Posso partire? _____

C. *Give the formal imperative of each verb.*

Esempio: (partire) *Parta!*

1. (rallentare) _____

2. (aspettare) _____

3. (fare attenzione) _____

4. (andare piano) _____

5. (guardare i segnali) _____

6. (controllare la velocità) _____

D. *Tommaso is telling his younger brother not to do the following things.*

Esempio: (dormire troppo) *Non dormire troppo!*

1. (mangiare troppa pizza) _____

2. (guardare la televisione tutto il giorno) _____

3. (andare a letto tardi) _____

4. (spendere troppi soldi) _____

II. The imperative with pronouns

A. *Answer each question in the imperative and replace the underlined words with the appropriate object pronouns.*

Esempio: Posso dare un passaggio a Franco? *Daglielo!*

1. Posso scrivere a Maria? _____

2. Posso prestare la macchina a Luigi? _____

3. Posso fermarmi? _____

4. Posso invitare te e Giovanni? _____

5. Posso andare al cinema? _____

6. Posso darti il mio indirizzo? _____

7. Posso dirti la verità? _____

B. *Transform the following sentences into the imperative. Use the appropriate object pronouns when necessary.*

Esempio: Il dottore domanda al paziente di telefonargli. *Mi telefoni.*

1. L'istruttore dice al signor Rossi di fermarsi.

_____

2. Lo studente dice al professore di scrivergli.

_____

3. L'avvocato domanda al suo cliente di aspettarlo.

_____

4. Il poliziotto ordina all'automobilista di dargli la patente.

_____

5. L'agente ordina alla turista di mostrargli il passaporto.

_____

6. L'impiegato alla dogana dice alla turista di aprire le valigie.

_____

III. The present subjunctive

    A. *Change the verb according to each subject in parentheses.*

        1. La mamma vuole che io scriva una lettera. (tu, noi, i ragazzi,
           Pietro)

        _____

        _____

        2. Il professore desidera che noi studiamo. (tu, Giacomo, tu e Pietro,
           noi)

        _____

        _____

        3. Non credo che Marco voglia venire. (tu, noi, i miei amici, voi)

        _____

        _____

        4. Il professore spera che tu parli italiano. (noi, i suoi studenti,
           sua figlia, tu e Pietro)

        _____

        _____

    B. *Respond to each statement by using* Sono contento(a) che . . . *or* Mi
       dispiace che . . .

    Esempio: Domani incominciano le vacanze.
             Sono contento(a) che domani incomincino le vacanze.

    1. Gli Stati Uniti sono il paese più ricco del mondo.

    _____

    2. La disoccupazione è alta.

    _____

    3. La pizza ha molte calorie.

    _____

4. Il governo desidera ridurre le tasse (*taxes*).

_____

5. Il costo della benzina aumenta.

_____

6. La settimana lavorativa è di cinque giorni.

_____

7. Gli affitti sono molto alti.

_____

8. L'America vuole aiutare i paesi poveri.

_____

COMPOSIZIONE SCRITTA

Immagini di essere un istruttore di guida. Dia diversi (*several*) ordini (*instructions*) ai Suoi studenti.

20

PART ONE: LABORATORIO

DIALOGUE

Listen to the dialogue as you read along.

<u>Che programmi ci sono stasera?</u>

Pietro e sua moglie Lia fanno dei progetti per la serata.

Lia Pietro, andiamo al cinema stasera?

Pietro Non mi sembra che ci siano dei film interessanti. E poi io preferirei stare a casa, se non ti dispiace.

Lia No, non mi dispiace. Guarda sul giornale quali sono i programmi di stasera alla tivù.

Pietro Ti interessa un documentario sull'alpinismo? Pare che questo *abbia ricevuto* molti *premi*. Il regista Borelli ha portato la macchina da presa fino sulle *pendici* dell'Himalaya per filmare una *scalata* sul K2.

Lia Sì, mi piacerebbe verderlo, *purchè* non sia troppo lungo, perchè domani devo alzarmi presto. A che ora comincia?

Pietro Alle otto e mezzo, dopo il telegiornale, sul canale due.

Lia Benissimo. Allora aiutami a preparare la tavola, così ceniamo prima delle otto.

Questions

Listen to each statement about the dialogue. Circle <u>È vero</u> if the statement is true, and <u>Non è vero</u> if it is false.

1. È vero.   Non è vero.   3. È vero.   Non è vero.

2. È vero.   Non è vero.   4. È vero.   Non è vero.

I. The present perfect subjunctive

A. *Listen to the model sentence. Then form a new sentence by substituting the given noun or pronoun and making all necessary changes. Repeat the response after the speaker.*

1. Esempio: Mia madre spera che tu non abbia visto quel film. (noi)
   Mia madre spera che noi non abbiamo visto quel film.

....

2. Esempio: Mimmo non crede che Lucia sia uscita. (io)
   Mimmo non crede che io sia uscito.

....

B. *Pietro's boss wants him to complete several chores before she comes back in the afternoon. Change each sentence to express her requests. Then repeat the response after the speaker.*

Esempio: Non ha pulito l'ufficio. *Vuole che abbia pulito l'ufficio.*

1. ..... 2. ..... 3. ..... 4. ..... 5. .....

C. *Lia always says "I am sorry" after any remark you make. Re-create her reaction to each statement, using the present or present perfect subjunctive, according to the expression of time given. Then repeat the response after the speaker.*

Esempio: Domani partiremo. *Mi dispiace che partiate.*

1. ..... 2. ..... 3. ..... 4. ..... 5. .....

II. Impersonal verbs and expressions + subjunctive

A. *Listen to the model sentence. Then form a new sentence by substituting the cue. Repeat the response after the speaker.*

Esempio: Peccato che piova. (pare) *Pare che piova.*

1. ..... 2. ..... 3. ..... 4. ..... 5. .....

B. *Transform each sentence, using the given expression and the appropriate form of the subjunctive. Then repeat the response after the speaker.*

Esempio: Accendo la televisione. (è bene)
           È bene che tu accenda la televisione.

1. ..... 2. ..... 3. ..... 4. ..... 5. ..... 6. .....

III. Conjunctions + subjunctive

    A. *Listen to the model sentence. Then form a new sentence by substituting the given noun or pronoun and making all necessary changes. Repeat the response after the speaker.*

       1. Esempio: Noi verremo stasera purchè siamo liberi. (tu)
                  Tu verrai stasera purchè sia libero.

          ....

       2. Esempio: Io rivedrò il film, benchè l'abbia già visto. (lui)
                  Lui rivedrà il film, benchè l'abbia già visto.

          ....

    B. *Combine each pair of sentences into a single statement, using the cue and the appropriate form of the subjunctive. Then repeat the response after the speaker.*

      Esempio: Dobbiamo uscire. Piove. (prima che)
              Dobbiamo uscire prima che piova.

      1. .....   2. .....   3. .....   4. .....   5. .....   6. .....

IV. Subjunctive versus infinitive

    A. *Replace the subjunctive with the infinitive in each sentence. Then repeat the response after the speaker.*

      Esempio: Non vogliamo che tu soffra. *Non vogliamo soffrire.*

      1. .....   2. .....   3. .....   4. .....   5. .....   6. .....

    B. *Answer each question, using the infinitive and an object pronoun, if possible. Follow the example. Then repeat the response after the speaker.*

      Esempio: Vuoi che legga io la lettera? *No, voglio leggerla io.*

      1. .....   2. .....   3. .....   4. .....   5. .....

LISTENING COMPREHENSION

Listen to the following passage, then answer the questions that follow. Repeat each response after the speaker.

    1. .....   2. .....   3. .....   4. .....   5. .....

The speaker will read a short passage three times. First, listen carefully. The second time, write what you hear. The third time, check what you have written.

_____

_____

_____

_____

_____

_____

_____

_____

PART TWO: ESERCIZI SUPPLEMENTARI

I. The present perfect subjunctive

A. *Claudio borrowed his parents' car for the day, but it is midnight and he still hasn't returned. Describe his mother's fears of what may have happened, starting each sentence with* Ho paura che *and changing the verb to the present perfect subjunctive.*

Esempio: Avrà avuto un incidente. *Ho paura che abbia avuto un incidente.*

1. Avrà frenato bruscamente.

_____

2. Avrà investito (*run over*) un pedone.

_____

3. Lui e i suoi amici saranno andati in città.

_____

4. Avrà rovinato la macchina.

_____

5. Avrà sbagliato strada.

_____

6. Avrà superato il limite di velocità.

_____

7. Un poliziotto lo avrà fermato.

_____

8. Avrà dimenticato a casa la patente.

_____

B. *React to each statement, completing your sentences as in the example.*

Esempio: Il film è stato un successo.
          Sì, credo che *sia stato un successo* .

1. Ieri sera ho visto il film di Rosi e mi è piaciuto.

   Sono contento(a) che tu _____.

2. Hanno lavorato anche attori francesi nel film.

   Sì, credo che _____.

3. Forse Lucia non è andata a vederlo.

   Dubito che _____.

4. Mimmo l'ha lasciata.

   Mi dispiace che _____.

5. Lucia l'avrà già dimenticato.

   Ho paura che non _____.

6. Forse non avrà sofferto molto.

   Al contrario, credo che _____.

7. Avrà capito il carattere di quel ragazzo.

   Sì, spero che _____.

II. Impersonal verbs and expressions + subjunctive

A. *Respond to each statement in the affirmative or negative, using the cue in parentheses and following the example.*

Esempio: Voglio fare l'attrice. (necessario / prendere una laurea)
Non è necessario che tu prenda una laurea.

1. Un regista vuole girare un film. (importante / trovare un produttore)

_____

2. Io desidero vedere un film tedesco. (necessario / sapere il tedesco)

_____

3. Marco vuole riuscire nella vita. (bene / avere un'aria arrogante)

_____

4. Voi volete dimagrire. (indispensabile / mangiare di meno)

_____

5. La nonna vuole guarire. (importante / prendere le medicine)

_____

6. La ragazza vuole dimenticare. (utile / ricordare)

_____

7. Gli studenti vogliono imparare. (meglio / studiare)

_____

8. Noi abbiamo un grosso raffreddore. (bene / uscire di sera)

_____

B. *You are trying to find an explanation for the following situations. Start each statement with* Può darsi che *and complete with the present perfect subjunctive of the verb in parentheses.*

Esempio: Il professore è arrivato in ritardo. (alzarsi tardi oggi)
Può darsi che si sia alzato tardi oggi.

1. Pietro non ha risposto al telefono. (uscire)

_____

2. Alcuni studenti hanno l'aria stanca. (non dormire la notte scorsa)

_____

3. L'agente di polizia ha fermato un pedone. (attraversare con il
   semaforo rosso)

_____

4. Bob non ha capito il dialogo del film di Petri. (il film / non avere
   le didascalie)

_____

5. Ho visto Mimmo e Lucia insieme. (fare la pace)

_____

6. Maria aveva gli occhi rossi. (piangere)

_____

7. I bambini erano molto buoni oggi. (la nonna / rimproverare)

_____

8. Marito e moglie non si parlavano oggi. (litigare)

_____

C. *Marta seems to know something about everyone and everything. Re-create
   her statements according to the example. Start with* Si dice che, Pare
   che, *or* Sembra che *and use the present or present perfect subjunctive as
   required.*

   Esempio: L'attrice P sposerà il regista R.
             Si dice che l'attrice P sposi il regista R.

   1. Il figlio minore del signor Santi è operaio a Torino.

   _____

   2. Il figlio maggiore è diventato un giudice importante.

   _____

   3. Mirella ha l'influenza.

   _____

   4. I due fratelli di Renzo emigreranno in Svizzera.

   _____

5. Il regista ha intervistato Teresa.

_____

6. Il cugino di Tina vuole fare il professore.

_____

III. Conjunctions + subjunctive

A. *Rewrite each sentence, using the cue in parentheses and* purchè *+ subjunctive, as in the example.*

Esempio: Ti presterò il libro. (restituirmelo subito)
          Ti presterò il libro purchè tu me lo restituisca subito.

1. Ti aspetterò. (arrivare in orario)

_____

2. Farò la pace con lui. (essere meno arrogante)

_____

3. Le farò la fotografia. (avere la macchina fotografica)

_____

4. Starò a dieta. (tu, aiutarmi)

_____

5. Sentirò meno dolore. (tu, darmi un calmante)

_____

6. Riuscirò a studiare. (voi, fare meno rumore)

_____

B. *Mirella is a very generous person. State to whom, and why, she is lending her things, using* perchè *or* affinchè *+ subjunctive, as in the example.*

Esempio: (macchina / migliore amica / andare alla spiaggia)
          Presta la macchina alla sua migliore amica perchè vada alla spiaggia.

1. soldi / fratello / comprarsi una calcolatrice

_____

206

2. appunti / compagna / potere studiare

_____

3. orologio / cugina / essere puntuale a una intervista

_____

4. biglietto / Maria / andare a teatro

_____

5. sacco a pelo / Massimo / fare il campeggio

_____

C. *Rewrite each sentence, using* benchè, *sebbene,* or per quanto + *subjunctive, as in the example.*

Esempio: È anziano, ma nuota ogni giorno.
          Benchè sia anziano, nuota ogni giorno.

1. Si vogliono bene, ma litigano spesso.

_____

2. Non ha molti soldi, ma ne presta agli amici.

_____

3. Soffri molto, ma sei sempre allegro.

_____

4. Non abbiamo la patente, ma guidiamo lo stesso.

_____

5. State peggio, ma volete uscire.

_____

D. *Paolo is a very proud young man and wants to do everything on his own. State what he does not want his father to do, using* senza che + *subjunctive, as in the example.*

Esempio: Riuscirò; lui non mi aiuterà. *Riuscirò senza che lui mi aiuti.*

1. Farò gli studi universitari; lui non mi pagherà le tasse (*tuition*).

_____

2. Mi laureerò; lui non dovrà ripetermelo.

_____

3. Mi troverò un appartamento; lui non mi dirà dove.

_____

4. Pagherò l'affitto; lui non mi darà i soldi.

_____

E. *Use your own opinion to complete each sentence.*

1. Telefonerò ai miei amici a meno che non _____

_____

2. Organizzerò una festa prima che _____

_____

3. Finirò i miei studi prima che _____

_____

4. Riuscirò nella vita a meno che non _____

_____

IV. Subjunctive versus infinitive

A. *State each person's feelings about the following events, as in the example.*

Esempio: Liliana trova lavoro. (sperare)
Liliana *spera di trovare lavoro* .
I suoi amici *sperano che lei trovi lavoro* .

1. Mia sorella si fidanza. (essere felice)

Mia sorella _____

Io _____

2. Marta parte per le Hawaii. (essere contento)

Marta _____

Tutti _____

3. Gabriella ha l'influenza. (avere paura)

Gabriella _____

Filippo _____

4. Io non capisco bene certe spiegazioni. (dispiacere)

A me _____

Al mio professore _____

5. Sarò meno povero(a) un giorno. (sperare)

Io _____

La mia famiglia _____

6. Diventerò ricco(a)? (dubitare)

Io _____

I miei genitori _____

B. *Complete each sentence using either the indicative, the subjunctive, or the infinitive form of the verb in parentheses.*

1. È necessario che gli Americani (studiare) _____ le lingue

straniere.

2. È vero che l'inglese (essere) _____ una lingua molto

popolare.

3. Speriamo che non (piovere) _____ domani.

4. Speriamo di (fare) _____ una bella passeggiata.

5. È partito senza (prendere) _____ l'ombrello.

6. Parte sempre prima che io (alzarsi) _____.

7. Può darsi che un giorno il governo (cambiare) _____

la sua politica estera.

8. È certo che nessuno (credere) _____ a una cosa simile

(*such*).

9. Dubito che tu (potere) _____ laurearti quest'anno.

10. Dubito di (potere) _____ laurearmi prima dell'anno

prossimo.

COMPOSIZIONE SCRITTA

Lei ha visto un film che Le è piaciuto. Ne scriva un breve riassunto (*summary*).
Era un film americano o straniero? Qual era il titolo? Chi ne erano il regista
e gli attori? Descriva brevemente la trama, la fine e la Sua reazione.

21

PART ONE: LABORATORIO

DIALOGUE

Listen to the dialogue as you read along.

Un giallo avvincente

È una giornata molto calda e Beatrice è andata al parco. Qui ha incontrato un suo compagno di studi, seduto su una panchina e *immerso* nella lettura.

Beatrice	Ma guarda *chi si vede!* Dimmi, Dante, che cosa leggi di bello?
Dante	Un romanzo giallo.
Beatrice	Tu? Credevo che *tu fossi* appassionato di poesia.
Dante	*Non ti sbagliavi.* Quando sono *in vena,* scrivo versi. Ma con questo caldo è difficile sentirsi ispirati.
Beatrice	E chi è l'autore di questo giallo?
Dante	Agatha Christie.
Beatrice	E quanti *personaggi* sono già morti?
Dante	Finora, nessuno. Sono appena al primo capitolo, ma la trama promette di essere avvincente.
Beatrice	Quando ti ho visto, pensavo che *tu ti preparassi* per l'esame di letteratura italiana di martedì prossimo.
Dante	Eh, lo so benissimo che bisogna studiare, ma è inutile *che mi ci metta* con questo caldo!

Questions

Listen to each statement about the dialogue. Circle È vero *if the statement is true, and* Non è vero *if it is false.*

1. È vero.   Non è vero.   3. È vero.   Non è vero.

2. È vero.   Non è vero.   4. È vero.   Non è vero.

I. The imperfect subjunctive

A. *Listen to the model sentence. Then form a new sentence by substituting the given noun or pronoun. Repeat the response after the speaker.*

1. Esempio: Pensavano che io comprassi una Ferrari. (tu)
   Pensavano che tu comprassi una Ferrari.

....

2. Esempio: Vorrebbero che io facessi un viaggio. (tu)
   Vorrebbero che tu facessi un viaggio.

....

B. *Form sentences using the cues. Then repeat the response after the speaker.*

Esempio: (il treno essere in ritardo)
   Avevamo paura che il treno fosse in ritardo.

1. ..... 2. ..... 3. ..... 4. .....

II. The past perfect subjunctive

A. *Listen to the model sentence. Then form a new sentence by substituting the given noun or pronoun. Repeat the response after the speaker.*

Esempio: Credevano che io avessi scritto. (tu)
   Credevano che tu avessi scritto.

1. ..... 2. ..... 3. ..... 4. ..... 5. .....

B. *Gino thought these people had arrived in his city. Re-create his statements substituting the given noun or pronoun, as in the example. Then repeat the response after the speaker.*

Esempio: Pensavo che tu fossi arrivato. (Franco)
   Pensavo che Franco fosse arrivato.

1. ..... 2. ..... 3. ..... 4. .....

C. *Listen to the model sentence. Then form a new sentence by substituting the given noun or pronoun. Repeat the response after the speaker.*

Esempio: Erano poveri benchè avessero lavorato molto. (Giuseppe)
   Giuseppe era povero benchè avesse lavorato molto.

1. ..... 2. ..... 3. ..... 4. .....

III. The subjunctive: sequence of tenses

 A. *Change the following sentences from the present to the past, according to the example. Then repeat the response after the speaker.*

 Esempio: È necessario che tu lavori. *Era necessario che tu lavorassi.*

 1. .....   2. .....   3. .....   4. .....   5. .....

 B. *Restate each sentence, changing the present subjunctive to the present perfect subjunctive. Then repeat the response after the speaker.*

 Esempio: È contenta che io vada in Italia.
  È contenta che io sia andata in Italia.

 1. .....   2. .....   3. .....   4. .....

 C. *Change each sentence from the present to the past, according to the example. Then repeat the response after the speaker.*

 Esempio: Compriamo una casa benchè non abbiamo soldi.
  Abbiamo comprato una casa benchè non avessimo soldi.

 1. .....   2. .....   3. .....   4. .....   5. .....

 D. *Change each sentence from the present to the past, according to the example. Then repeat the response after the speaker.*

 Esempio: Vorrei che tu telefonassi.
  Avrei voluto che tu avessi telefonato.

 1. .....   2. .....   3. .....   4. .....   5. .....

LISTENING COMPREHENSION

Listen to the following passage, then answer the questions that follow. Repeat each response after the speaker.

 1. .....   2. .....   3. .....   4. .....   5. .....

DICTATION

The speaker will read a short passage three times. First, listen carefully. The second time, write what you hear. The third time, check what you have written.

_____

_____

_____

_____

_____

_____

_____

_____

PART TWO: ESERCIZI SUPPLEMENTARI

I. The imperfect subjunctive

A. <u>Volevo che</u> . . . *Lisa gave a party, but her friends failed to do what she wanted them to do.*

Esempio: (Marisa / portare una torta)
           Volevo che Marisa portasse una torta.

1. (Pio e Lina / comprare il gelato)

_____

2. (Pietro / invitare suo cugino)

_____

3. (tu / dare gli inviti)

_____

4. (mio fratello / bere meno)

_____

5. (voi / stare più a lungo)

_____

6. (Teresa / essere gentile)

_____

B. Bisognava che... *Your trip to the mountains was not successful because you and your friends should have done the following things.*

Esempio: (Luisa / preparare i panini)
        Bisognava che Luisa preparasse i panini.

1. (Lino e Carlo / portare i sacchi a pelo)

_____

2. (Anna / fare i preparativi con attenzione)

_____

3. (tu e Pietro / non dimenticare i fiammiferi [*matches*])

_____

4. (tu / ascoltare le previsioni del tempo [*weather forecast*])

_____

5. (noi / conoscere la strada)

_____

C. Avevano paura che... *Tina and Lisetta spent a week camping and had a wonderful time. But before leaving, they were afraid that many things might happen.*

Esempio: esserci degli orsi (*bears*)
        Avevano paura che ci fossero degli orsi.

1. piovere

_____

2. fare freddo

_____

3. essere difficile montare la tenda

_____

4. Lisetta sentirsi male

_____

5. non esserci acqua

_____

6. agli orsi piacere il loro cibo (*food*)

_____

II. The past perfect subjunctive

A. *Form a sentence using the past perfect subjunctive, as in the example.*

Esempio: (speravamo / loro scrivere) *Speravamo che loro avessero scritto.*

1. speravo / tu venire

_____

2. dubitava / lui telefonare

_____

3. era necessario / voi dire qualcosa

_____

4. era meglio / noi andare

_____

5. non credevo / tu sapere

_____

6. avevo paura / lui non capire

_____

B. *Complete each sentence in the past perfect subjunctive.*

Esempio: Pensavo che lui (guadagnare) *avesse guadagnato* molto.

1. Credevo che tu non (capire) _____.

2. Speravamo che Giulia lo (fare) _____.

3. Pensavamo che voi (mangiare) _____.

4. Era meglio che io non (rispondere) _____.

5. Credevo che tu (prepararti) _____.

6. Non sapevo che tu (essere) _____ in Cina.

III. The subjunctive: sequence of tenses

    A. *Change each sentence to the past.*

      Esempio: Voglio che tu venga. *Volevo che tu venissi.*

      1. È necessario che tu studi.

      _____

      2. Bisogna che io lavori di più.

      _____

      3. Spero che faccia bel tempo.

      _____

      4. Dubito che lui mi scriva.

      _____

      5. È inutile che loro gli telefonino.

      _____

      6. Non credo che lui ritorni in Italia.

      _____

    B. *Change each sentence from the present to the past.*

      Esempio: Ho paura che Giovanni sia malato.
              Avevo paura che Giovanni fosse malato.

      1. Abbiamo paura che gli invitati non vengano.

      _____

      2. È necessario che tu scriva a tuo padre.

      _____

      3. Bisogna che io mangi meno.

      _____

      4. Desidero che i miei genitori mi comprino una macchina.

      _____

5. Spero che faccia bel tempo.

_____

6. Dubito che lui mi dica la verità.

_____

7. Abbiamo paura che mia sorella non stia bene.

_____

C. *Rewrite each sentence in the past.*

Esempio: Vorrei che tu mi scrivessi.
           Avrei voluto che tu mi avessi scritto.

1. Preferirei che tu ci andassi.

_____

2. Vorremmo che voi studiaste di più.

_____

3. Mio padre preferirebbe che io lavorassi.

_____

4. Vorresti che io ti prestassi dei soldi?

_____

5. Mi piacerebbe che voi risparmiaste.

_____

6. Preferirei che tu non prendessi la mia macchina.

_____

D. *Change the infinitive to the present subjunctive or the imperfect subjunctive accordingly.*

1. Partirò benchè (piovere) _____.

2. Siamo partite benchè (fare brutto tempo) _____.

3. È necessario che tu (guadagnare) _____ di più.

4. Era necessario che voi (scrivere) _____ una

   lettera.

5. Non è possibile che tu (dormire) _____ così

poco.

6. Telefonerò a Carlo prima che lui (partire) _____.

7. Ti presto la macchina purchè tu (fare attenzione)

_____.

8. Preferirei che tu (stare) _____ a casa.

9. Ti telefonerò a meno che tu non (uscire) _____.

10. Era meglio che tu (comprare) _____ una

giacca di lana.

E. *Change the infinitive to either the past subjunctive or to the past perfect subjunctive, as required.*

1. Credo che Luigi (laurearsi) _____ l'anno

scorso.

2. Credevamo che Giacomo (partire) _____

un mese fa.

3. Penso che Teresa (incontrare) _____ Marco

ieri sera.

4. Pensavo che tu non (lavorare) _____ l'anno

scorso.

5. Non credo che Giulia (arrivare) _____ ieri

sera.

6. Dubitavo che lui (essere) _____ in Italia

tre anni fa.

7. Spero che la festa (piacerti) _____ ieri

sera.

219

8. Non sapeva che Marco Polo (scrivere) _____

   Il Milione.

9. Non sapevamo che il professore (nascere) _____

   a Firenze.

10. Non credo che Giovanni (divertirsi) _____

    ieri sera.

COMPOSIZIONE SCRITTA

Scriva una breve autobiografia o un breve riassunto di un romanzo o di un racconto.

22

PART ONE: LABORATORIO

DIALOGUE

Listen to the dialogue as you read along.

<u>Se tu fossi pittore . . .</u>

Luisa cerca un soggetto da dipingere per il suo corso d'arte e chiede consiglio al fratello maggiore.

Luisa Pino, se tu fossi pittore, che cosa dipingeresti?
 Pina Dipingerei un paesaggio o una natura morta. Perchè me lo domandi?
Luisa Perchè è il compito che devo fare per il mio corso d'arte.
 Pino Va' ai giardini e cerca un *angolo* che ti piaccia.
Luisa È troppo difficile! Tu non potresti farlo per me?
 Pino *Nemmeno per sogno!* Sei tu che devi imparare.
Luisa Ma io non sono pittrice. Non hai un'altra idea?
 Pino Se vuoi, puoi farmi il ritratto.
Luisa Ma fare un ritratto è più difficile che dipingere un paesaggio!
 Pino Allora sai cosa devi fare? Prendi due mele, tre pere e una banana, e dipingi una natura morta!

Questions

Listen to each statement about the dialogue. Circle <u>È vero</u> *if the statement is true, and* <u>Non è vero</u> *if it is false.*

1. È vero.   Non è vero.   3. È vero.   Non è vero.

2. È vero.   Non è vero.   4. È vero.   Non è vero.

I. The *if* clauses

Listen to the model sentence. Then form a new sentence by substituting the given noun or pronoun. Repeat the response after the speaker.

1. Esempio: Se studio, imparo. (tu) *Se tu studi, impari.*

   ....

2. Esempio: Se potrò, verrò. (tu) *Se tu potrai, verrai.*

   ....

3. Esempio: Se Carlo avesse i soldi, farebbe un viaggio. (io)
   Se io avessi i soldi, farei un viaggio.

   ....

4. Esempio: Se Teresa avesse avuto tempo, sarebbe venuta. (io)
   Se avessi avuto tempo, sarei venuto.

   ....

II. The subjunctive with indefinite expressions

A. *Listen to the model sentence. Then form a new sentence by substituting the given noun or pronoun. Repeat the response after the speaker.*

   1. Esempio: Qualunque cosa io faccia, non sono contenti. (tu)
      Qualunque cosa tu faccia, non sono contenti.

      ....

   2. Esempio: Comunque tu ti vesta, va bene per lei. (voi)
      Comunque voi vi vestiate, va bene per lei.

      ....

B. *Tommaso doesn't want to see anybody today, so he tells his roommate to answer for him. Repeat each response after the speaker.*

   Esempio: Chiunque venga, dì che non sono in casa. (telefonare)
   Chiunque telefoni, dì che non sono in casa.

   1. ..... 2. ..... 3. ..... 4. .....

C. *Listen to the model sentence. Then form a new sentence by substituting the given noun or pronoun. Repeat each response after the speaker.*

   Esempio: Dovunque lui andasse, la gente applaudiva. (noi)
   Dovunque noi andassimo, la gente applaudiva.

   1. ..... 2. ..... 3. ..... 4. .....

III. The subjunctive with relative clauses

   A. *Gisella is new in town, and is looking for someone who can help her.*
      Use the cues to form each statement. Then repeat the response after the
      speaker.

      Esempio: Cerco qualcuno che mi aiuti. (mostrare la città)
               Cerco qualcuno che mi mostri la città.

      1. ..... 2. ..... 3. ..... 4. ..... 5. .....

   B. *Tommaso is sad because no one seems to care about him. Use the cue to*
      form each statement. Then repeat the response after the speaker.

      Esempio: Non c'è nessuno che mi capisca. (sentire)
               Non c'è nessuno che mi senta.

      1. ..... 2. ..... 3. ..... 4. ..... 5. .....

   C. *Form a sentence, using the cue and following the example. Then repeat*
      after the speaker.

      Esempio: (sincero / noi avere)
               Era l'amico più sincero che noi avessimo avuto.

      1. ..... 2. ..... 3. ..... 4. .....

LISTENING COMPREHENSION

Listen to the following passage, then answer the questions that follow. Repeat
each response after the speaker.

   1. ..... 2. ..... 3. ..... 4. ..... 5. .....

DICTATION

The speaker will read a short passage three times. First, listen carefully.
The second time, write what you hear. The third time, check what you have
written.

_____

_____

_____

_____

_____

_____

_____

PART TWO: ESERCIZI SUPPLEMENTARI

I. The *if* clauses

A. *Complete each sentence with the correct form of the verb in parentheses.*

Esempio: Se io (avere) *avessi* la macchina, (fare) *farei* un viaggio.

1. Se io (essere) _____ milionario, (comprare)

   _____ una casa.

2. Se io (abitare) _____ in Italia, (andare)

   _____ in vacanza ogni anno.

3. Se io non (sapere) _____ guidare, (imparare)

   _____.

4. Se io non (dovere) _____ lavorare, mi (divertire)

   _____ tutto il giorno.

5. Se io (potere) _____ dipingere, (dipingere)

   _____ una natura morta.

6. Se io (avere) _____ due mesi di vacanza, (andare)

   _____ in Oriente.

7. Se io (avere) _____ un Picasso autentico, lo (vendere)

   _____.

B. *Complete each sentence according to the example.*

Esempio: Ti avrei fatto una foto se (avere) *avessi avuto* la macchina
          fotografica.

1. Non avresti avuto un incidente se (stare) _____

   attento.

2. Non avremmo perduto la strada se (studiare) _____

la carta geografica prima di partire.

3. Avremmo mangiato in un ristorante elegante se (avere)

_____ soldi.

4. Non sarebbe stato male se non (bere) _____

così tanto.

5. Abrebbe giocato a pallacanestro se (essere) _____

più alto.

6. Non avrei fatto indigestione se non (mangiare)

_____ troppi cioccolatini.

7. Avremmo potuto vedere il programma se (avere)

_____ un televisore.

C. *Complete each sentence, choosing between the indicative and the subjunctive.*

1. Avrei preso un bel voto se (studiare) _____ .

2. Se (fare) _____ bello, andrò alla spiaggia.

3. Se Lia (finire) _____ i compiti, andrà al cinema.

4. Se noi (essere) _____ liberi, verremo alla tua festa.

5. Se tu (parcheggiare) _____ la tua macchina qui, il

poliziotto ti dà una multa.

6. Se tu (vedere) _____ il film su Leonardo da Vinci, ti

sarebbe piaciuto.

7. Se la macchina non (funzionare) _____, la porterai dal

meccanico.

8. Se tu (abitare) _____ in montagna, potresti sciare ogni

giorno.

II. The subjunctive with indefinite expressions

Complete each sentence with the correct subjunctive tense.

1. Qualunque cosa io (fare) _____ non era abbastanza.

2. Dovunque lui (andare) _____ i suoi amici lo seguivano.

3. Chiunque (telefonare) _____, dì che non sono in casa.

4. Comunque le cose (andare) _____, non mi preoccupo.

5. Qualunque cosa noi (dire) _____, non ci credevano.

6. Non gli credo, qualunque (essere) _____ le sue ragioni.

7. Accetteremo qualunque decisione voi (prendere) _____.

III. The subjunctive with relative clauses

Complete each sentence with the subjunctive.

1. Non conosco nessuno che (sapere) _____ il cinese.

2. Non c'è niente che noi (potere) _____ fare.

3. Cerchiamo un negozio che (vendere) _____ stampe.

4. Ho bisogno di qualcuno che (aiutarmi) _____.

5. Cercavo qualcosa che (piacergli) _____.

6. Non c'era nessuno che (ascoltarmi) _____.

7. Teresa era la più bella ragazza che noi (conoscere) _____.

8. Era l'edificio più alto che (esserci) _____.

COMPOSIZIONE SCRITTA

1. Dite quello che sapete sulla vita e sulle opere di un artista che ammirate.
2. Scegliete un'opera d'arte e descrivetela.

23

PART ONE: LABORATORIO

DIALOGUE

Listen to the dialogue as you read along.

Musica operistica o musica elettronica?

Paco Punk suona la chitarra con un gruppo rock. Prima di partire in *tournée,* è ritornato nella piccola città in cui abitano i genitori, per salutarli. Eccolo in soggiorno, che discute con sua madre.

Madre Che bisogno avevi di cambiare nome? Giuseppe Piccoli non ti andava bene?

Paco Mi dici come uno potrebbe riuscire con un nome simile?

Madre È da trent'anni che tuo padre suona il violino nell'orchestra della città, e con successo. Non ho mai sentito parlare male nè del suo nome, nè della sua arte.

Paco Basta suonare uno strumento in questa città, e tutti sono in ammirazione.

Madre Ti prego di non insultare tuo padre. Ad ogni modo, quello che tu e i tuoi amici fate è *fracasso,* non musica.

Paco È inutile discutere con voi. *Siete rimasti a* Giuseppe Verdi e al secolo scorso.

Padre (*entrando*) Come? Si parla male di Verdi qui? Del più grande musicista italiano?

Paco Papà, lascialo riposare in pace. Questo è il secolo della musica elettronica, non dell'opera.

Questions

Listen to each statement about the dialogue. Circle È vero if the statement is true and Non è vero if it is false.

1. È vero.   Non è vero.   3. È vero.   Non è vero.

2. È vero.   Non è vero.   4. È vero.   Non è vero.

I. Verbs and verbal expressions + infinitive

A. *Form a sentence using the cue and the preposition indicated in each example. Then repeat the response after the speaker.*

1. Esempio: (siamo contenti / viaggiare) *Siamo contenti di viaggiare.*

....

2. Esempio: (incomincio / studiare) *Incomincio a studiare.*

....

B. *Form a sentence using the cue and the preposition* di. *Then repeat the response after the speaker.*

Esempio: (gli ho detto / partire) *Gli ho detto di partire.*

1. ..... 2. ..... 3. ..... 4. ..... 5. ..... 6. ..... 7. .....

C. *Form a sentence using the cues. Follow the example. Then repeat the response after the speaker.*

Esempio: (preferire / stare a casa) *Preferisco stare a casa.*

1. ..... 2. ..... 3. ..... 4. ..... 5. ..... 6. .....

II. *Fare* + infinitive

A. *Tommaso is talking about the things he will have someone do for him. Use the cues to form each statement. Then repeat the response after the speaker.*

Esempio: (riparare la televisione) *Farò riparare la televisione.*

1. ..... 2. ..... 3. ..... 4. ..... 5. .....

B. *You just had your car repaired, and are telling your friends what you had the mechanic do for you. Repeat the response after the speaker.*

Esempio: (riparare il motore) *Ho fatto riparare il motore.*

1. ..... 2. ..... 3. ..... 4. .....

C. *Mario is telling you what he had repaired. Re-create his statements using the cue. Then repeat the response after the speaker.*

Esempio: (la televisione) *L'ho fatta riparare.*

1. ..... 2. ..... 3. ..... 4. ..... 5. .....

D. *You work part-time in an elementary school. Tell your friends what you have the children do every day. Then repeat the response after the speaker.*

Esempio: (cantare le canzoni) *Faccio cantare le canzoni ai bambini.*

1. ..... 2. ..... 3. ..... 4. ..... 5. .....

E. *You have each of the following people write a letter. Form a sentence using the double object pronouns according to the example. Then repeat the response after the speaker.*

Esempio: Faccio scrivere una <u>lettera a Gino</u>. *Gliela faccio scrivere.*

1. ..... 2. ..... 3. ..... 4. ..... 5. .....

III. <u>*Lasciare*</u> and verbs of perception + infinitive

A. *Gisella asks Maria to let her do the following things. Repeat the response after the speaker.*

Esempio: (partire) *Lasciami partire!*

1. ..... 2. ..... 3. ..... 4. ..... 5. .....

B. *Listen to the model sentence. Then form a new sentence, using* <u>lasciare + infinitive</u>. *Then repeat the response after the speaker.*

Esempio: Lascio che voi partiate. *Vi lascio partire.*

1. ..... 2. ..... 3. ..... 4. ..... 5. .....

C. *Restate each sentence, using the* <u>verb + infinitive</u>. *Then repeat the response after the speaker.*

Esempio: Ho visto gli attori che recitavano. *Ho visto recitare gli attori.*

1. ..... 2. ..... 3. ..... 4. .....

IV. Prepositions followed by the infinitive

Listen to the model sentence. Then form a new sentence by substituting the given expression. Follow each example. Repeat the response after the speaker.

1. Esempio: Studia, invece di uscire. (andare al cinema)
   Studia, invece di andare al cinema.

....

2. Esempio: Ti telefono prima di uscire. (mangiare)
               Ti telefono prima di mangiare.

   ·····   ·····   ·····   ·····

3. Esempio: Esco dopo aver studiato. (pulire la casa)
               Esco dopo aver pulito la casa.

   ·····   ·····   ·····   ·····

LISTENING COMPREHENSION

Listen to the following passage, then answer the questions that follow. Repeat each response after the speaker.

   1. ·····   2. ·····   3. ·····   4. ·····   5. ·····

DICTATION

The speaker will read the dictation three times. First, listen carefully. The second time, write what you hear. The third time, check what you have written.

_____

_____

_____

_____

_____

_____

_____

_____

PART TWO: ESERCIZI SUPPLEMENTARI

I. Verbs and verbal expressions + infinitive

   A. *Complete each sentence with the correct preposition, if necessary.*

      1. Ho voglia _____ prendere un caffè.

      2. Siamo contenti _____ partire.

      3. Incomincio _____ essere stanca _____ studiare.

4. Perchè continui _____ farmi le stesse domande?

5. Ti hanno promesso _____ aiutarti?

6. È difficile _____ studiare la sera.

7. Pensi _____ andare al cinema?

8. Puoi fermarti _____ comprare il giornale?

9. Preferisci _____ uscire o stare a casa?

10. Spero _____ ricevere una lettera da mio padre.

11. Mi ha insegnato _____ suonare il piano.

12. Mi piacerebbe _____ fare un viaggio in Italia.

B. *Complete this passage with the correct prepositions, when they are necessary.*

La cicala (*grasshopper*) e la formica

    La formica è un animale che ama _____ provvedere al futuro. Ogni estate, invece di andare in vacanza, continua _____ lavorare _____ accumulare le provviste per l'inverno. La cicala, al contrario, detesta _____ lavorare e quando arriva l'estate si mette _____ cantare.

    Un caldo giorno di luglio la cicala vide la formica _____ lavorare senza riposo. Allora si mise _____ prenderla in giro (*to tease her*) e la invitò _____ fare come lei. La formica, laboriosa, non aveva nessuna intenzione _____ ascoltarla, e le consigliò _____ pensare ai mesi freddi. La cicala preferì _____ continuare _____ cantare. Arrivò l'inverno con il freddo e il gelo. Mentre la cicala incominciava _____ soffrire il freddo e la fame, la formica era felice _____ godersi (*enjoy*) le sue provviste al caldo. Un giorno la cicala andò _____ bussare (*to knock*) alla sua porta _____ domandare aiuto.

—Per favore, lasciami _____ entrare! —domandò.

La formica non la fece _____ entrare. —Mi dispiace, cara cicala, ti avevo detto _____ lavorare. Se tu avessi ascoltato i miei consigli e non avessi continuato _____ cantare tutta l'estate, adesso non avresti bisogno _____ bussare alla mia porta. —

E le chiuse la porta in faccia.

II. *Fare* + infinitive

A. *Rewrite each sentence using* fare + *infinitive*.

Esempio: Ho costruito una casa. *Ho fatto costruire una casa.*

1. Ho riparato il televisore.

_____

2. Il capoufficio ha licenziato un impiegato.

_____

3. Il signor Bini ha telefonato all'avvocato.

_____

4. Il professore ha letto il romanzo.

_____

5. Lui ha ammobiliato l'appartamento.

_____

6. Ho pulito la casa.

_____

7. Ho controllato l'olio e la benzina.

_____

8. Ho fatto una foto.

_____

9. Ho comprato alcune medicine.

_____

B. *Rewrite each sentence, replacing the underlined noun with a pronoun.*

Esempio: Faccio leggere Giulio. *Lo faccio leggere.*

1. Faccio cantare Pietro. _____

2. Faccio cantare una canzone a Pietro. _____

3. Faccio recitare i bambini. _____

4. Faccio recitare una poesia ai bambini. _____

5. Faccio suonare Maria. _____

6. Faccio suonare il piano a Maria. _____

C. *Rewrite each sentence, substituting the underlined noun with a pronoun.*

Esempio: Desidero fare ripararare il piano. *Desidero farlo riparare.*

1. Voglio far costruire la nostra casa.

_____

2. Pensiamo di far lavare la macchina.

_____

3. Desidero far riparare le nostre biciclette.

_____

4. Possiamo far vendere i nostri sci?

_____

5. Vorrei far mettere l'annuncio sul giornale.

_____

III. *Lasciare* and verbs of perception + infinitive

A. *Tina and Susanna ask their mother to let them do the following things.*

Esempio: (partire) *Lasciaci partire!*

1. (dormire fino alle 10) _____

2. (andare a sciare) _____

3. (invitare gli amici) _____

4. (suonare la chitarra) _____

B. *Tommaso tells Gigi to let their friends do what they want.*

Esempio: Tino e Giacomo vogliono partire. *Lasciamoli partire!*

1. Franco vuole suonare il piano.

_____

2. Gina vuole comprare la pizza.

_____

3. Teresa e Gina vogliono andare al cinema.

_____

4. Luisa vuole partire.

_____

5. Carlo e Franca vogliono studiare.

_____

6. Carlo e Franca vogliono studiare la lezione.

_____

C. *Answer each question, substituting the underlined noun with a pronoun.*

Esempio: Hai sentito il tenore che cantava? *Sì, l'ho sentito cantare.*

1. Hai ascoltato i musicisti che suonavano?

_____

2. Hai visto la banda che arrivava?

_____

3. Hai guardato gli attori che recitavano?

_____

4. Hai sentito Pavarotti che cantava?

_____

D. *Rewrite each sentence, replacing the subjunctive with the infinitive as in the example.*

Esempio: La madre lascia che suo figlio esca.
         La madre lascia uscire suo figlio.

1. Noi lasciamo che i ragazzi partano.

   _____

2. Lasci che tuo cugino venga?

   _____

3. Lasciamo che i bambini giochino.

   _____

4. Lasciano che i loro figli si divertano.

   _____

IV. Prepositions followed by the infinitive

A. *Tommaso's father is upset because his son's report card leaves much to be desired. He tells Tommaso what he should do to get better grades.*

Esempio: (studiare / andare al cinema)
         Dovresti studiare invece di andare al cinema.

1. fare i compiti / giocare al pallone

   _____

2. fare attenzione in classe / guardare dalla finestra

   _____

3. andare in biblioteca / andare a troppe feste

   _____

4. studiare la matematica / scrivere poesie

   _____

B. *Before leaving on vacation, Gianna gives instructions to Laura, who will be taking care of her house.*

Esempio: (chiudere la porta / uscire) *Chiudi la porta prima di uscire.*

1. dare da mangiare al gatto / andare in classe

_____

2. prendere la chiave / uscire

_____

3. guardare l'orologio / lasciare la casa

_____

4. mettere il gatto dentro / chiudere la porta

_____

C. *Paola asks Giulia when she did the following things.*

Esempio: Quando sei uscita? (studiare) *Sono uscita dopo di aver studiato.*

1. Quando hai fatto i compiti? (mangiare)

_____

2. Quando ti sei divertita? (studiare)

_____

3. Quando hai telefonato? (uscire)

_____

4. Quando hai scritto? (arrivare)

_____

5. Quando hai mangiato? (cucinare)

_____

6. Quando hai lavato i piatti? (mangiare)

_____

COMPOSIZIONE SCRITTA

1. Avete assistito alla rappresentazione di un'opera o di un altro spettacolo
   musicale? Fate un breve riassunto della trama.
2. Immaginate una serata all'opera o ad un altro spettacolo musicale.
   Descrivete la serata: il teatro, il pubblico, i cantanti, l'orchestra, ecc.

24

PART ONE: LABORATORIO

DIALOGUE

Listen to the dialogue as you read along.

Attori in erba

Quest'anno gli studenti del corso d'arte drammatica hanno deciso di **mettere in scena** *Giulietta e Romeo* di Shakespeare. Le parti **sono state assegnate** dal professore.

Il professore	La scelta è stata molto difficilè perchè tutti voi avete talento. La parte di Giulietta è stata assegnata a Maria Rosa, e quella di Romeo, a Tino.
Gli studenti	(*In coro.*) Congratulazioni! Che fortunati! **In bocca al lupo!**
(Più tardi.)	
Maria Rosa	Tino, come sono felice. Ho sempre desiderato essere un'attrice, e recitare in una tragedia di Shakespeare è il **sogno** della mia vita.
Tino	Sarebbe fantastico se un giorno potessimo recitare in una grande città per un pubblico appassionato di teatro.
Maria Rosa	**Perseverando**, si arriva a tutto, Tino.
Tino	Ma tu, quando sei sul palcoscenico, non hai paura?
Maria Rosa	Sempre! Però anche gli attori e le attrici più famosi sono sempre un po' emozionati quando si presentano davanti al pubblico.
Tino	Allora la paura è un buon segno, no? Ci vediamo domani per **le prove**, Giulietta?
Maria Rosa	Oh! Romeo, mio Romeo! O.K. domani, alle quattro. Ciao!

Questions

Listen to each statement about the dialogue. Circle È vero *if the statement is true, and* Non è vero *if it is false.*

1. È vero.   Non è vero.   3. È vero.   Non è vero.

2. È vero.   Non è vero.   4. È vero.   Non è vero.

I. The gerund

   A. *Listen to the model sentence. Then form a new sentence by substituting the given verb. Repeat the response after the speaker.*

   Esempio: Sbagliando, s'impara. (studiare) *Studiando, s'impara.*

   1. .....   2. .....   3. .....   4. .....   5. .....   6. .....   7. .....

   B. *Paola wants to know if you can go out with her, but you can't because you are too busy. Form a sentence using the gerund of the given verb. Then repeat after the speaker.*

   Esempio: Sto mangiando. (studiare) *Sto studiando.*

   1. .....   2. .....   3. .....   4. .....   5. .....

   C. *Restate each sentence, using the gerund and replacing the noun with a pronoun. Then repeat after the speaker.*

   Esempio: Aspettiamo i nostri amici. *Stiamo aspettandoli.*

   1. .....   2. .....   3. .....   4. .....

II. The gerund versus the infinitive

   A. *Substitute each noun with the infinitive. Then repeat the response after the speaker.*

   Esempio: Lo sci è pericoloso. *Sciare è pericoloso.*

   1. .....   2. .....   3. .....   4. .....   5. .....

   B. *Replace the subordinate clause with the gerund form of the verb. Then repeat the response after the speaker.*

   Esempio: Mentre camminavo, ho incontrato Maria.
            Camminando, ho incontrato Maria.

   1. .....   2. .....   3. .....   4. .....   5. .....

III. The passive form

Restate each sentence by using the passive construction. Then repeat the response after the speaker.

1. Esempio: Spiego la lezione. *La lezione è spiegata da me.*

....

2. Esempio: Ho scritto le lettere. *Le lettere sono state scritte da me.*

....

IV. The impersonal *si* replacing the passive form

Restate each sentence, using the impersonal si. Then repeat the response after the speaker.

Esempio: La conferenza è data stasera. *Si dà la conferenza stasera.*

1. ..... 2. ..... 3. ..... 4. ..... 5. ..... 6. .....

LISTENING COMPREHENSION

Listen to the following passage, then answer the questions that follow. Repeat each response after the speaker.

1. ..... 2. ..... 3. ..... 4. ..... 5. .....

DICTATION

The speaker will read a short passage three times. First, listen carefully. The second time, write what you hear. The third time, check what you have written.

_____

_____

_____

_____

_____

_____

PART TWO: ESERCIZI SUPPLEMENTARI

I. The gerund

A. *Write a sentence using* stare *plus the gerund of the verb in parentheses.*

Esempio: (mangiare / io) *Sto mangiando.*

1. (lavorare / noi) _____

2. (fare la spesa / voi) _____

3. (dire la verità / Franco) _____

4. (bere un caffè / io) _____

5. (andare alla stazione / noi) _____

6. (venire dall'ufficio / tu) _____

7. (mettere in ordine la camera / loro) _____

B. *Write a sentence using* stare *plus the gerund, according to the example.*

Esempio: (mentre noi / camminare, abbiamo visto Diana)
          Mentre noi stavamo camminando, abbiamo visto Diana.

1. mentre voi / prendere un caffè, è arrivato Paolo

_____

2. quando noi / uscire, è incominciato a piovere

_____

3. mentre io / ascoltare il telegiornale, Mimmo ha telefonato

_____

4. poichè loro / mangiare, non siamo entrati

_____

5. mentre tu / andare a casa, lei è arrivata

_____

C. *Replace the subordinate clause with the gerund form of the verb.*

Esempio: Mentre passeggiava, ha incontrato Davide.
           Passeggiando, ha incontrato Davide.

1. Mentre sciava, si è rotta una gamba.

_____

2. Poichè non trovavamo la strada, ci siamo fermati tre volte.

_____

3. Poichè avevamo tempo libero, abbiamo visitato un museo.

_____

4. Poichè non avevano fame, hanno deciso di non fermarsi.

_____

5. Poichè era in ritardo, si è scusato.

_____

6. Quando ha perduto il lavoro, ha perduto anche la casa.

_____

II. The gerund versus the infinitive

A. *Replace the underlined words with the corresponding infinitive.*

Esempio: Il riposo è necessario. *Riposare è necessario.*

1. Lo studio è utile. _____

2. Il gioco è piacevole. _____

3. Il fumo fa male alla salute. _____

4. Il lavoro stanca. _____

5. Il nuoto sviluppa i muscoli. _____

B. *Complete each sentence, choosing between the gerund and the infinitive.*

1. (*walking*) _____ per la strada, abbiamo incontrato

   Marco.

2. (*walking*) _____ fa bene alla salute.

3. (*reading*) _____ io ho imparato molte cose utili.

4. (*reading*) _____ è utile e istruttivo.

5. (*thinking*) _____ a mio padre, ho pensato a molti

   momenti felici.

6. (*thinking*) _____ nobilita lo spirito.

7. (*running*) _____, sono caduto.

8. (*running*) _____ rinforza i muscoli.

9. (*living*) _____, s'imparano molte cose.

10. (*living*) _____ in questa città, è molto costoso.

III. The passive form

A. *Rewrite each sentence in the passive.*

Esempio: Il governo vota le leggi. *Le leggi sono votate dal governo.*

1. I viaggiatori fanno le prenotazioni.

   _____

2. I consumatori comprano i prodotti.

   _____

3. Le agenzie vendono i biglietti.

   _____

4. Gli autori scrivono i libri.

   _____

5. Gli atleti praticano molti sport.

   _____

6. Gli operai organizzano gli scioperi.

_____

B. *Rewrite each sentence in the passive.*

Esempio: Leonardo ha dipinto *La Gioconda*.
          La Gioconda *è stata dipinta da Leonardo.*

1. Meucci ha inventato il telefono.

_____

2. Colombo ha scoperto l'America.

_____

3. Dante ha scritto *la Divina Commedia*.

_____

4. Pirandello ha scritto molti drammi.

_____

5. Fermi ha ricevuto il premio Nobel per la fisica.

_____

6. Galileo ha rivoluzionato le leggi sull'astronomia.

_____

7. Michelangelo ha scolpito *Il Davide*.

_____

8. Machiavelli ha scritto *Il Principe*.

_____

9. Grazia Deledda ha ricevuto il premio Nobel per la letteratura.

_____

C. *Rewrite each sentence using the passive construction.*

Esempio: Romolo e Remo fondarono Roma.   *Roma fu fondata da Romolo e Remo.*

1. Manzoni scrisse *I Promessi Sposi.*

_____

2. Michelangelo dipinse *Il Giudizio Universale.*

_____

3. I Medici governarono Firenze.

_____

4. Verdi compose (*p.p.* composto) *La Traviata.*

_____

5. Leopardi scrisse bellissime poesie.

_____

IV. The impersonal *si* replacing the passive form

Restate each sentence using the impersonal si.

Esempio: Il pranzo è servito alle otto.   *Si serve il pranzo alle otto.*

1. Le notizie dell'incidente sono riportate sul giornale.

_____

2. Nuovi edifici sono costruiti ogni anno.

_____

3. Le informazioni sono date all'agenzia.

_____

4. I dipinti sono ammirati alla Pinacoteca di Brera.

_____

5. Le macchine sono lasciate nei parcheggi.

_____

6. I biglietti sono comprati all'aeroporto.

_____

COMPOSIZIONE SCRITTA

Descrivete una rappresentazione teatrale alla quale avete assistito e che vi
è piaciuta molto.